Goedendag!

Flandern (Belgien) hat es nicht verdient, als Reiseziel unterschätzt zu werden. Denn erstaunlicherweise steuert ein Großteil der Urlauber die Seebäder an der flandrischen Küste an. Natürlich kann man hier herrliche Ferien verleben. Für mich liegen die wahren Attraktionen jedoch im Hinterland.

SIGHTSEEING UND STRANDSPASS

Denn dort warten stolze Städte, allen voran das einmalige Brügge, dazu Gent mit der Burg Gravensteen und Ypern mit der wiederaufgebauten Tuchhalle. Antwerpen glänzt mit dem Rubenshaus, trendigen Szenevierteln und setzt mit dem Museum aan de Stroom auch architektonische Zeichen. Und dann erst Brüssel! Ich mag die internationale Atmosphäre von Belgiens Hauptstadt, ich mag auch ihre etwas vernachlässigten Seiten und die Nonchalance, mit der die Brüsseler das Leben so nehmen, wie es ist. Das Tolle an Flandern sind auch die kurzen Wege: Wer genug hat vom Sightseeing, braucht höchstens zwei Stunden bis zu den breiten Stränden der Nordseeküste. Ein besonderes Vergnügen dort ist das Strandsegeln (s. S. 113).

LUST AM GENUSS

Die Belgier zelebrieren die Lust am Genuss bei jeder Gelegenheit. In ihren Restaurants trifft sich französische Raffinesse mit niederländischer Bodenständigkeit; ihre persönlichen Restaurant-Highlights empfiehlt Rita Henß auf S. 54. Ganz regelmäßig gönnen sich die Flamen (und Wallonen) übrigens süße Köstlichkeiten – über 12 kg Pralinen nascht jede(r) pro Jahr. Die besten Chocolatiers verraten wir Ihnen auf S. 106. Oder mögen Sie es lieber etwas herber? Dann gehen Sie doch mal auf ein Bier ins Brugs Beertje in Brügge (S. 89). Obwohl – ein Bier? Auf der Karte stehen über 300!

Herzlich

Ihre

Birgit Borowski

Birgit Borowski
Redaktion DuMont Bildatlas

»ACH MARIEKE, MARIEKE, KÄME DOCH DIE ZEIT ZURÜCK, IN DER DU MICH GELIEBT HAST VON BRÜGGE BIS GENT.«

Jacques Brel

Rainer Kiedrowski hat den Auftrag, in Flandern und Brüssel zu fotografieren, besonders gern angenommen, ist er doch ohnehin regelmäßig in Belgien unterwegs.

Von Frankfurt aus startet **Rita Henß** zu Recherchereisen in die ganze Welt. Belgiens Norden mag sie wegen der malerischen Städtchen und Brüssels internationalem Flair ganz besonders.

69
Mechelen gehört zu den städtischen Kleinodien Flanderns..

86
Schlösser wie Ooidonk setzen schöne Akzente in der weiten Landschaft.

34
Ein Gespräch mit dem Comic-Zeichner Johan de Moor.

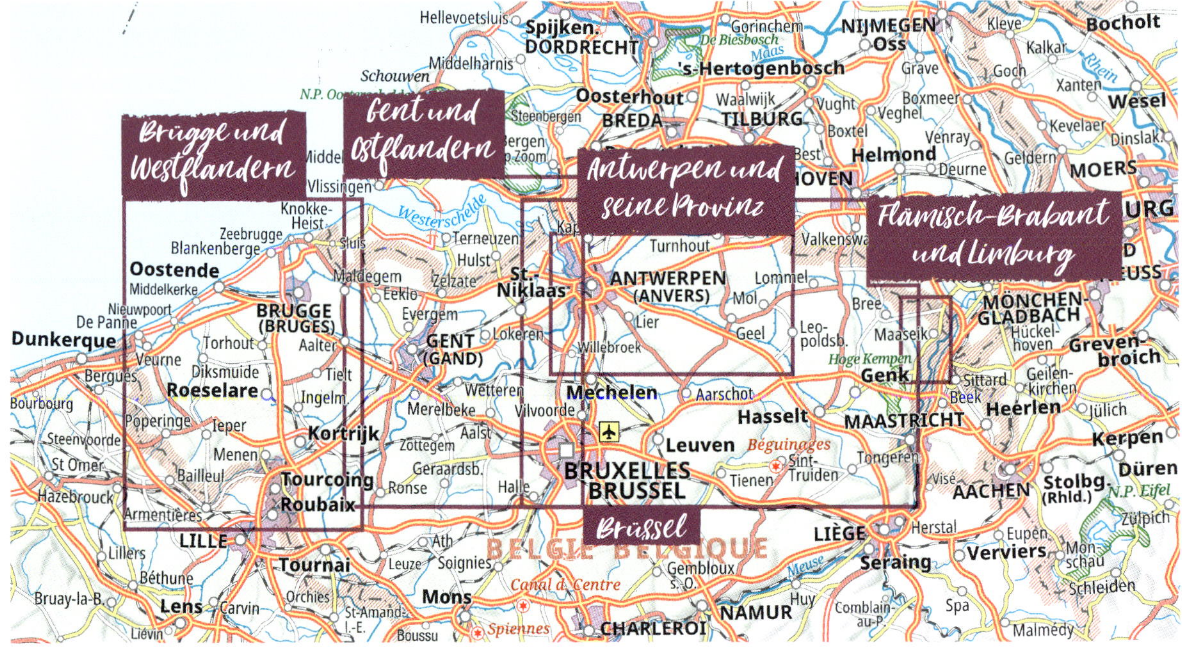

Das Beste erleben

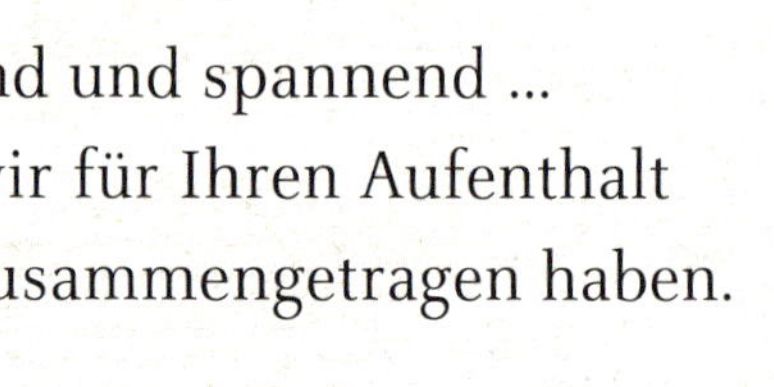

Berührend, aufregend und spannend …
sind unsere Ideen, die wir für Ihren Aufenthalt
in Flandern und Brüssel zusammengetragen haben.

Frischer Schwung

*** 1 ***

ATOMIUM IN BRÜSSEL

Das Atomium, Brüssels größte Attraktion, lädt im Innern zu einer spannenden Reise ein.
Seite 40

*** 2 ***

KÖNIGIN DER SEEBÄDER

Oostendes Kapital ist der ewig breite Strand. Er lädt zum Bad in der Nordsee ein.
Seite 112

Reiner Genuss

*** 3 ***

BRAUKUNST

Nirgends ist die Biervielfalt so groß wie in Belgien. In Brügge gibt es eine tolle Kneipe zum Verkosten.
Seite 88

*** 4 ***

BELGISCHE PRALINEN

Belgiens Pralineurs haben mindestens so viel Fantasie wie die Brauer. Marcolini in Brüssel ist Kult für Liebhaber dunkler Schokoladen.
Seite 108

2

Stolze Städte

5

BRÜSSEL

Europas multikulturellste Stadt begeistert mit der prachtvollen Grand'Place, königlichen Museen und der Geschäftigkeit des EU-Viertels.

Seite 39

6

LEUVEN

Die Universität der brabantischen Metropole sorgt für jugendlich-heitere Energie.

Seite 57

7

ANTWERPEN

Diamanten und Mode verbinden sich mit Flanderns Tor zur Welt.

Seite 73

8

GENT

Genter Altar bestaunen und an Korenlei und Graslei in der Universitätsstadt entspannen.

Seite 91

9

BRÜGGE

Das Stadtidyll lebt von seinen Grachten und Gassen, den vielen interessanten Bauten und den hübschen Läden.

Seite 111

Flandrische Facetten

10

OMMEGANG

Hunderte prunkvoll Kostümierte huldigen im großen Umzug dem historischen Vorbild aus der Zeit Kaiser Karls V.

Seite 41

11

GLOCKENSPIEL-METROPOLE

Mechelen »klingt« ganz besonders in den Ohren vieler Musikliebhaber: Die Kunst des Glockenspiels hat hier eine lange Tradition, wie in Konzerten gut zu hören ist.

Seite 75

12

IEPER

Im interaktiven Museum In Flanders Fields wird der Horror in den Schützengräben der Flandernschlachten greifbar.

Seite 113

BRÜGGES WASSERSTRASSEN

In Flandern ist Wasser allgegenwärtig – breite Wasserwege wechseln sich mit schmalen ab, Grachten durchziehen alte Städte. Bei einer Grachtenfahrt durch Brügge kann man sich dem Charme des Städtchens ganz entspannt hingeben. Jede Biegung eröffnet neue Perspektiven auf Kanalhäuser und kultiviertes Ufergrün.

WELTSTADT ANTWERPEN

Imposant ist, was das Museum aan de Stroom in Antwerpen bietet: Auf mehreren Ebenen setzt es sich mit der Geschichte der Stadt auseinander und verbindet sie mit den Themen Macht, Weltstadt, Welthafen, Leben und Tod. Auch architektonisch setzt das ehemalige Speicherhaus einen starken Akzent im alten Hafengebiet »Het Eilandje«.

TAVERNE - RESTAURANT
BAVIK

GENTS SCHÖNE SEITEN

Zu beiden Seiten von Korenlei und Graslei reihen sich prachtvolle Zunfthäuser mit imposanten Treppengiebeln, sodass die Wahl schwerfällt: bleiben und in einem der Restaurants in das wunderbar lebendige, von Studenten bevölkerte Bild versinken? Oder eines der Boote vor der abendlichen Kulisse besteigen und sanft durch das alte Gent schippern?

VERWURZELT IN TRADITIONEN

In einem Land mit einer so wechselvollen Geschichte bleibt viel Raum für die verschiedensten Traditionen. Im Christentum verankert ist die Heiligblutprozession von Brügge, die an Christi Himmelfahrt stattfindet. Dabei wird eine Reliquie mit einigen Tropfen von Christi Blut mitgeführt.

29
27
POM D'API

MIT NOBLEM SCHICK

Was heutzutage »Shopping Mall« heißt und »Einkaufserlebnis« verspricht, ist in Brüssel ein alter Hut: Die Galeries Royales Saint-Hubert wurden 1847 als erste Ladenpassage weltweit eröffnet. Das Erlebnis hier besteht nicht nur in nobel-schönen Läden, sondern in einer wunderbaren Atmosphäre, an die kein Glitzerpalast unserer Zeiten heranreicht.

HINEIN INS STRANDVERGNÜGEN!

Ist das nicht herrlich? Da reist man an die Küste Westflanderns, in eines der einst mondänsten Seebäder Europas, nach Knokke-Heist, und schon empfängt einen der beliebte Badeort mit Sandstrand und bunten Strandbuden, deren Anblick erst recht Laune auf einen tollen Strandurlaub macht.

Die schönsten Schlösser und Schlossparks

TRUTZIG UND VERSPIELT

Ob große Landvilla, verspieltes Schloss oder trutzige Burg: Meist sind diese historischen Bauwerke Flanderns nicht nur von Wasser umgeben, sondern auch von malerischen Parks und Gärten. Besonders in Erinnerung bleiben dabei jene, die nicht nur ein faszinierendes Grün bieten, sondern sich besonderen Blüten widmen – wie etwa der Rose.

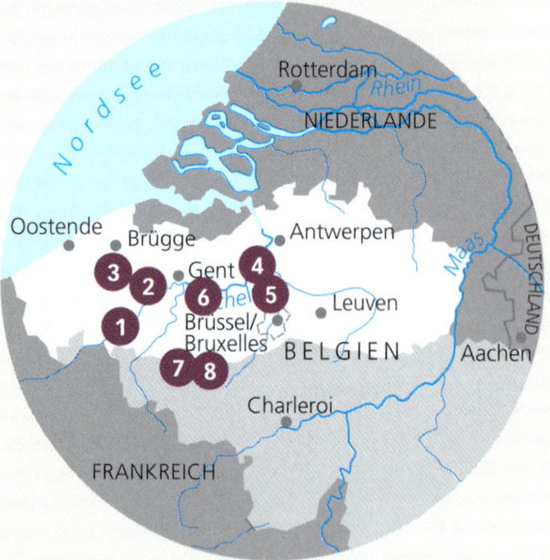

3

1 Rosengarten Kasteel 't Hooghe

Mitten im historischen Grün des Schlossparks 't Hooge in Kortrijk wurde ab 1959 von der Provinz Westflandern ein Rosarium angelegt. Das der Königin der Blüten gewidmete Areal gruppiert sich um eine große Landvilla aus dem 19. Jahrhundert. Der gut drei Hektar große und kunstvoll in einer Mischung aus offenen Flächen und Gruppen seltener Bäume angelegte Park umfasst einen historischen Garten, einen Garten, in dem jährlich rund 200 neue Rosenkreationen von europäischen Zuchtunternehmen gepflanzt werden, sowie einen Mustergarten mit jenen Varianten, die aktuell das beste Zuchtergebnis erzielen.

Doorniksesteenweg 218 (Eingang Pypestraat), 8500 Kortrijk, Tel. 051 27 32 00, https://inagro.be/rozentuin, Park durchgängig geöffnet, Eintritt frei, am letzten Junisonntag Rosenfest mit Picknick

2 Kasteel van Poeke

Sein heutiges Aussehen verdankt das prächtige Wasserschloss aus dem 12. Jahrhundert dem Architekturgeschmack des Barock sowie dem seiner letzten Besitzer, der Familie Pycke de Peteghem. Sie kaufte es 1872 und ließ Rokoko-Elemente anbringen. Fast wähnt man sich bei seinem Anblick vor einem der Loire-Schlösser. Um das Anwesen zieht sich der baumbestandene Poekepark – er ist wie geschaffen für lange Spaziergänge.

Kasteelstraat 26, 9880 Poeke-Aalter, Tel. 051 68 64 25 oder 09 325 22 00, www.poeke.net, Park jederzeit frei zugänglich, Schlossbesichtigung auf Anfrage, nur im Rahmen einer Führung

3 Kasteel van Loppem

Belgiens einziges Schloss, das sich sowohl baulich als auch hinsichtlich seiner Ausstattung noch im Originalzustand befindet. Allerdings wurde das neogotische Ensemble südlich von Brügge auch erst im 19. Jahrhundert errichtet. Der Park, schon um 1800 im englisch-chinesischen Stil angelegt, wurde ab Mitte des 19. Jahrhunderts romantisch umgestaltet, mit Grotten, Teichen – und einem Heckenlabyrinth, dessen Gänge insgesamt 1,5 km lang sind.

Steenbrugsestraat 26, 8210 Zedelgem-Loppem, Tel. 050 28 83 30, www.kasteelvanloppem.be, Schloss März–Okt. Mo.–Sa. 13.00–17.30 Uhr, 8 €, Labyrinth April–Okt. Sa./So. 14.00–18.00, Juli/Aug. tgl. 13.00–18.00 Uhr, 2 €

4 Kasteel van Laarne

Aus einer großen eckigen Wasserfläche reckt westlich von Gent eine der besterhaltenen befestigten Burgen Flanderns ihre konischen Steintürme zum Himmel. Die Anfänge des inzwischen komplett unter Denkmalschutz stehenden Ensembles reichen bis in das 14. Jahrhundert zurück. Gemälde und Tapisserien des 15. bis 18. Jahrhunderts lassen die einstige Wohnatmosphäre wieder lebendig werden. Ein eigener Raum ist der Silbersammlung von Claude und Juliette d'Allemagne gewidmet.

Eekhoekstraat 5, 9270 Laarne, Tel. 09 230 91 55, www.herita.be/monumenten/kasteel-van-laarne, Mai–Sept. So. 13.00–17.00, Juli/Aug. So.–Fr. 13.00 bis 17.00 Uhr, 8 €

5 Domein Den Blakken

Noch ein kleiner Geheimtipp in Flandern ist dieser in seiner heutigen Gestalt erst ab Mitte der 1990er-Jahre angelegte Garten. Um 1900 war auf dem Areal bereits ein Landsitz entstanden; später baute man eine Villa im normannischen Stil. Zur Holzgewinnung wurde ihr Park schließlich auch an den sandigen Rändern bepflanzt. Von diesen Dünen der Schelde hat die Domäne ihren Namen.

Wegvoeringstraat 308, 9230 Wetteren, Kontakt-Tel. 09 267 78 02, frei zugänglich von Sonnenauf- bis Sonnenuntergang

6 Kasteel Ooidonk

Malerisch in einer Lys-Schleife gelegen, umgeben von Wiesen und Hainen, zählt das nach einem Brand 1595 wiedererbaute Schloss zweifelsohne zu den eindrucksvollsten und schönsten Flanderns. Mit seinen Zwiebeltürmchen, der zierlichen Steintreppe und der Parkanlage erinnert Ooidonk, in dem erneut die Grafenfamilie t'Kint de Roodenbeke wohnt, an das Loire-Schloss Chambord. Die Räumlichkeiten von Ooindonk bergen eine Sammlung wertvoller Kunstgegenstände wie Gemälde, Schmuck und antike Möbel.

Ooidonkdreef 9, 9800 Deinze, Tel. 09 282 26 38, http://ooidonk.be, Schloss: April–Okt., So./Fei. 14.00–17.30 Uhr, Juli/Aug. auch Sa., 12 €. Gärten: Mi. bis So. 9.30–18.00 und Di. ab 13.00, Nov.–März Mo., Di geschl., 3 €

7 Kasteel van Gaasbeek

Ein wichtiges Blatt in der Geschichte des Schlossbaus beschrieb die Mailänder Adelsdynastie der Visconti. Ihren Erben verdankt sich das verspielte Innere des wehrhaften Schlosses von Gaasbeek, das u. a. eine einzigartige Sammlung Brüsseler Wandteppiche aus dem 15. bis 17. Jahrhundert birgt. Vom Ehrenhof gelangt man in den Museums- und Barockgarten, an den sich ein 40 Hektar großer Park anschließt.

Kasteelstraat 40, 1750 Gaasbeek, Tel. 02 531 01 30, www.kasteelvangaasbeek.be, ca. 15 km westl. von Brüssel; Schloss Juli bis Okt. Di.–So. 10.00–18.00 Uhr, Park und Museums-Garten Mai–Okt. 10.00 bis 18.00 Uhr, 12 Euro)

8 Schloss und Rosenpark Coloma

Mit mehr als 60 000 Pflanzen aus 3000 Arten ist der Rosengarten des romantischen Wasserschlosses Coloma (16. Jh.) die größte Anlage seiner Art in Westeuropa. Das Areal gliedert sich in vier Themenbereiche. Im ersten prangt zur Blütezeit eine Fülle roter und weißer Rosen. Die weiteren Abschnitte teilen die preisgekrönten Schönheiten flämischer Züchter, alte Rosenarten und die schönsten internationalen Züchtungen unter sich auf. Das Schloss an sich fungiert heute als Gemeinde-Kulturzentrum.

J. Depauwstraat 25, 1600 Sint-Pieters-Leeuw, Tel. 02 371 22 62, www.natuurenbos.be/coloma, Park April–Sept. Di. bis So. 9.00–20.00, Okt. bis März 9.00–17.00 Uhr, Eintritt frei

LEON
FRITURE LEON

Brüssel

*

EUROPAS KÖNIGLICHES WELTDORF

*

Brüssel ist Landeshauptstadt, Europametropole und Weltdorf in einem. Es gibt sich königlich im Herzen, an den Rändern bourgeois betucht oder mit eher verborgenen Reizen. Doch auch diese gilt es zu entdecken: Brüssel hat sie zuhauf.

An Sommerabenden zieht's Brüsseler und Gäste in die Straßen der Stadt, auch in die Restaurants der Rue des Bouchers.

Bei einem Besuch in Belgiens Hauptstadt wird man unweigerlich dem Manneken Pis begegnen. Die Brüsseler Börse (oben) erinnert an einen antiken Tempel, während das Rathaus auf der Grand'Place schönste Spägotik repräsentiert (oben rechts). In den Restaurants am Fischmarkt geht es reeller zu als in denen der Rue des Bouchers (rechts).

Der Blumenteppich auf der Grand-Place bringt alle zwei Jahre im August Farbe in das schon für sich großartige Ensemble der Zunfthäuser in Brüssel.

Special

Jacques Brel

Schöne Fläminnen und Don Quixote

»Les fla-, les fla-, les flamandes …« Wer kennt sie nicht, die melodiöse »Hommage« Jacques Brels an die Fläminnen. Oder sein flehendes »Ne me quitte pas«. Unzählige Bühnentriumphe feierte der belgische Chansonnier, der am 8. April 1929 in Brüssel geboren wurde.

Anlaufstelle für Brel-Fans

Die Brels logierten zum Zeitpunkt der Geburt von Jacques, des zweiten Sohns, in der Avenue de Diamant No. 138; sie verlegten ihr Domizil danach mehrfach. Kein Wunder, dass die Spuren des 1978 verstorbenen Sängers in Brüssel zahlreich sind: an der Place de Brouckère etwa, wo »Brüssel brüsselte«, wie es in seiner vertonten Liebeserklärung (»Bruxelles«) an die Heimatstadt heißt; am nahen Opernhaus De Munt, wo Brels »L'homme de la Mancha« Premiere feierte, seine Musicalversion des Don-Quixote-Stoffs. Brel selbst gab den Titelhelden. In den Gassen der Ilot Sacré, damals ein Künstlerviertel mit ungezählten kleinen Kabaretts und Clubs, erhielt Brels Sängerseele erste Nahrung. Im Grenier, über dem Cabaret La rose noire, hatte der Fabrikantenfilius sein erstes festes Engagement. Nach Erfolgen u.a. in Paris prangte sein Name im Januar 1955 erstmals an der Music Hall der belgischen Metropole. Mehr über ihn im Erinnerungszentrum, s. S. 39.

Viele Jahre empfing Belgiens Metropole zumindest Bahneisende nicht gerade königlich. Doch hat sich in der Stadt vieles geändert. Eine Aufwertung des Viertels zwischen dem Bahnhof und Börse bzw. Grand-Place lässt sich etwa am Boulevard Stalingrad ausmachen mit frischem Baumgrün, breitem Mittel- und separaten Radfahrstreifen. Die Anbindung des unterirdischen Gare Centrale an das (zunehmend erweiterte) Fußgängerzonen-Netz ist ein weiterer Punkt; in der City sind zudem seit Mitte 2015 der Boulevard Anspach und die Place Brouckère komplett autofrei. Auch Teile des innerstädtischen Ufers des Canal Bruxelles-Charleroi wurden u.a. durch das trendige Immobilienprojekt Canal Wharf und das neue Museum Kanal–Centre Pompidou für moderne und zeitgenössische Kunst im alten Citroën-Gebäude aufgewertet.

Als weiteres Zeichen des großen Aufbruchs in eine schönere Zukunft brachte die »Hauptstadt Europas« auch ordentlich Farbe in den Straßenverkehr: Mangogelb leuchten zwischen Motorhaube, Kofferraum und Außenspiegel mancher der schwarzen Taxigefährte. Sicher werden die Brüsseler mit ihrem typischen, etwas verrückten Humor, dem »Zwanze«, bald einen Spitznamen für die gefleckten Karossen haben – schließlich tauften

Picknickpause zu Füßen der gotischen Kathedrale Saint-Michel in Brüssel, die prächtige Glasfenster zieren.

Mit viel Prunk, Fahnen und Kostümen blickt der Ommegang in Brüssel auf den Besuch Kaiser Karls V. in der Stadt zurück.

sie auch das EU-Parlament, dessen Architektur an ein überdimensionales Tropenhaus erinnert, in Anlehnunng an eine Käseschachtel trefflich »Caprice des dieux«, eine Laune der Götter.

MIT BESONNENHEIT

Überhaupt sind die Bruxellois' eher lustig denn verdrossen, locker gehen sie um mit den Unzulänglichkeiten des Alltags, sind weltoffen und lebensfroh. Sie lieben schöne Dinge jeder Art und prägen die multikulturellste aller europäischen Metropolen mit ihrem nonchalanten Charme.

Die bedeutende Rolle, die diese Stadt als Austragungsort vieler EU-Gipfel spielte

DIE MULTIKULTURELLSTE ALLER EUROPÄISCHEN METROPOLEN PRÄGT EIN NONCHALANTER CHARME.

und weiterhin spielt, ist für die Einheimischen in ihrem Alltag weniger relevant als etwa eine neue Verkehrsführung oder die Eröffnung eines neuen Museums.

KÖNIGLICHE EINKAUFSPASSAGE

König Léopold I. persönlich legte am 6. Mai 1846 den Grundstein für Brüssels erste Einkaufspassage. Damit wollte der vom Volk auserkorene Monarch der Welt demonstrieren, dass das junge, unabhängige Belgien offen sei für die Errungenschaften der Moderne. So erhielt die Landesmetropole eine dreiteilige, mehr als 200 Meter lange und 18 Meter hohe Galerie mit 54 Läden. Konzeption und Umsetzung des nach einem Missionar aus den Ardennen benannten Projekts lagen in den Händen des niederländischen Architekten Jean-Pierre Cluysenaer. Der hatte in dem damals eng bebauten und schlecht beleuchteten Innenstadtabschnitt zwischen Grasmarkt (Marché aux herbes) und Kruidtuinberg (Montagne aux herbes potagères) eine überdachte Straße errichten und ihn damit auch für höhere Gesellschaftsschichten attraktiver

Zeit braucht, wer in den Musées Royaux d'Art et d'Histoire auf Spurensuche geht: Der Tempel aus dem syrischen Apameia mit seinen Mosaiken ist nur eines der vielen antiken Exponate.

Nicht nur wie hier auf dem Flohmarkt im Marollenviertel begegnen sich in Brüssel viele Nationalitäten.

Die in einer Eisen-Glas-Konstruktion errichteten dreigeschossigen Ladenpassagen der Galéries Royales Saint-Hubert waren eine aufregende Innovation und Vorbild für viele ähnliche Bauten weltweit.

Das Musée Magritte, Teil der Musées Royaux des Beaux-Arts in Brüssel, erschließt die Welt des Surrealisten René Magritte.

Dieses Jugendstilhaus in der Rue Africaine 92 ist 1903 gebaut worden.

Special

Jugendtsil

Ein Schustersohn als Architektur-Ikone

Mag man sein Wirken auch vornehmlich mit Brüssel in Verbindung bringen – geboren ist der wichtigste Vertreter der belgischen Art nouveau in Gent.

Victor Horta (1861–1947) erblickt in der Tuchmetropole als Sohn eines Schusters das Licht der Welt. Den ersten Kontakt zur Architektur hat er, als er im Alter von zwölf Jahren seinem Onkel auf einer Baustelle hilft. Über die Académie des Beaux-Arts in Gent und das königliche Athenaeum gelangt er schließlich nach Paris – 1881 zieht er nach Brüssel und wächst dort in die Rolle des führenden Jugendstil-Baumeisters hinein. Eisen und Glas setzt Horta kühn als dekorative Elemente ein, weiche Linien und organische Formen prägen die Ornamentik seiner Entwürfe. Dutzende von »hôtels particuliers« (Stadthäuser) baut er in der Metropole, für Politiker, Ingenieure, Bankiers, Rechtsanwälte, Kaufleute und andere wohlhabende Zeitgenossen.

Kein Jugendstil, aber mit Hortas Namen

Sein Architektenkollege Henry van den Velde (1863–1957) gilt als zweiter herausragender belgischer Vertreter des fantasiesprühenden Jugendstils. Während Horta kaum außerhalb Belgiens baute, führen die Spuren des gebürtigen Antwerpeners van de Velde durch ganz Europa.

machen wollen. Mit dem Bankier Jean-André Demot hatte er bereits 1836 die Société des Galéries Saint-Hubert gegründet; doch es mussten zunächst noch Eigentums- und Wohnrechte geklärt werden, um loslegen zu können.

Am 20. Juni 1847 dann weihte Léopold mit seinen beiden Söhnen die gewaltige Passage ein. In ihren drei Abschnitten – Galérie du Roi, Galérie de la Reine, Galérie des Princes – vereint sie unter dem aus Glas und Eisenträgern grandios gestalteten Tonnengewölbe eklektizistische Formen mit jenen der italienischen Renaissance.

Zu den ersten Mietern der neuen Galerien zählten das Théâtre Royale und die »Confiserie pharmaceutique« des Großvaters von Jean Neuhaus, Keimzelle der heutigen Pralinen-Dynastie.

TREFFPUNKT DER KÜNSTLER

Bald wurden die Passagen zum beliebten Treffpunkt von Künstlern und Intellektuellen. Alexandre Dumas etwa, Autor von »Der Graf von Monte Christo«, zählte ebenso zu ihnen wie die französischen Filmpioniere Lumière, die hier am 1. März 1896 ihre ersten Werke vorführten. Und der Chansonnier Jacques Brel pflegte regelmäßig seine Garnelenkroketten in der Taverne du Passage in der Galerie de la Reine zu speisen.

Stets im Mittelpunkt Europas: Berichterstattung vor dem Sitz der EU-Kommission, dem Berlaymont

Der Parc du Cinquantenaire in Brüssel entstand zum 50. Jubiläum des belgischen Königreichs – ausreichend Grund zur Freude, weshalb er auch als »Jubelpark« bekannt ist.

Laisser-faire vor großartiger Kulisse: Im Parc du Cinquantenaire schließen sich die großen Museen gleich an den Triumphbogen an.

Tausende von Vertretern der EU-Mitgliedsländer bringen geschäftiges Treiben ins EU-Viertel.

BRÜSSEL IST OFFIZIELL ZWEISPRACHIG NIEDERLÄNDISCH/FRANZÖSISCH. TATSÄCHLICH ABER WIRD ZU FAST 90 PROZENT FRANZÖSISCH GESPROCHEN.

EIN LAND, DREI SPRACHEN

Seit 1973 spricht Flandern offiziell nicht mehr »Flämisch«, sondern Niederländisch, das heißt Amtssprache und allgemein gebräuchliche Schriftsprache ist die im 17. Jahrhundert auf dem Gebiet der heutigen Niederlande ausgebildete niederländische Standardsprache (ABN). Sie unterscheidet sich vom Flämischen u. a. durch eine andere Aussprache und Satzmelodie, auch der Satzbau ist mitunter anders, die Verkleinerungsform wird statt mit »-tje« mit der Silbe »-ke« gebildet – und natürlich gibt es »typisch flämische« Ausdrücke, die im Niederländischen so nicht existieren oder etwas anderes bedeuten. Brüssel selbst ist offiziell zweisprachig (Niederländisch/Französisch); tatsächlich wird zu fast 90 Prozent Französisch gesprochen. Auch in der Umgebung der belgischen Hauptstadt gibt es eine beachtliche Anzahl französischsprachiger Bewohner. In einem Teil dieser flämischen Gemeinden haben sie das Recht zum Gebrauch ihrer Sprache im Umgang mit den Behörden.

Bis ins 19. Jahrhundert gab es in Flandern keine Standardsprache. Die Menschen sprachen verschiedene Dialekte, in denen sie sich häufig sogar untereinander nur schwer verständigen konnten (einige sind bis heute erhalten beziehungsweise blühen wieder auf). Erst in den 1930er-Jahren wurde Flandern durch verschiedene Sprachgesetze langsam einsprachig flämisch; Wallonien, im Süden, dagegen ist französisch-, in dessen äußersten Osten deutschsprachig (s. S. 70).

KRISE UND NEUES VERTRAUEN

Die politische Landschaft war nach den Regionalwahlen 2009 durch den Graben zwischen Wallonen und Flamen bestimmt: Flandern wählte konservativ bis rechts-national, Wallonien sozialistisch. 2010 trat der Premierminister Yves Leterme zurück. Nach diversen Versuchen, eine Regierung zu bilden, ernannte König Philippe 2014 die so genannte Schweden koalition, wie sie wegen der Farben der beteiligten Parteien genannt wird, mit Charles Michel von der Reformbewegung (MR) als neuen Premier. Die Regierung, die am 1. Oktober 2020 unter Premierminister Alexander De Croo vereidigt wurde, besteht erstmals aus sieben Parteien der Christdemokraten, Grünen, Liberalen und Sozialisten – die »Vivaldi-Koalition«, da sie die erste Koalition aus vier Parteifamilien ist und an die Violinkonzerte »Die vier Jahreszeiten« von Antonio Vivaldi erinnert. Die mit zehn Frauen und zehn Männern besetzte Regierung gilt als linksliberal.

Eines der vielen flämischen Wasserschlösser steht in Bouchout bei Meise, umgeben von einem großen Botanischen Garten ...

... mit rot und violett leuchtenden Rhododendren und anderen Pflanzen, ...

... wie auch mit mächtigen alten Buchen, die ihre Wurzeln weit über dem Erdreich ausstrecken.

Das Atomium, Brüssels Wahrzeichen: kristalllines Eisen in 165-millardenfacher Vergrößerung

DAS ATOMIUM IST EINE ARCHITEKTONISCHE HOMMAGE AN DEN FORTSCHRITTSGLAUBEN DES ATOMZEITALTERS.

Mit Johan de Moor im Gespräch

VIELFÄLTIG INSPIRIERT

Johan de Moor hat eine Fülle an Comic-Strips auf den Markt gebracht, darunter die zweifach prämierten »La Vache«-Abenteuer mit »dem besten Geheimagenten des Animal Intelligence Service«: einer Kuh.

Das Vergnügen, Comics wie die von Johan de Moor zu lesen, ist keine Frage des Allters. In Belgien pflegte man von Anbeginn an einen ungezwungenen Umgang mit dieser Kunst.

Zwei Eisenbahnlinien schnüren den Ortskern des Brüsseler Stadtteils Vorst ein. Das Atelier des Comiczeichners Johan de Moor (geb. 1953) liegt hier versteckt. An seinen Wänden drängen sich afrikanische Masken – wie auch eine Sammlung historischer Blechdosen.

Sie wurden in die Comic-Welt sozusagen hineingeboren ... Ja, mein Vater, Bob de Moor, war ein enger Mitarbeiter von Georges Remis (Hergé), dem Autor und Zeichner von »Tim und Struppi«. Er hat an vielen seiner Alben mitgearbeitet.

Wie gestalteten sich dann Ihre beruflichen Anfänge? Nach meinem grafischen und lithografischen Studium zeichnete ich zunächst politische Karikaturen für Tageszeitungen. Man muss sich ja einen Vornamen machen ... Später, in den achtziger Jahren, habe ich dann auch für Hergé gearbeitet und die Reihe »Quick et Flupke« illustriert.

Wo finden Sie Ihre Themen? Ich bin wie ein Schwamm, sauge alles um mich herum auf. Die Menschen, die Landschaften, die Farben meiner Reisen. Der Kontakt zu jungen Leuten wie meinen Studenten hier in Brüssel, aber auch in anderen Ländern, ist mir wichtig. Auch meine Blechdosen inspirieren mich. Die Werke der deutschen Expressionisten finde ich ebenfalls wunderbar, vor allem jene von Ernst Ludwig Kirchner.

Und aus all diesen Grundlagen destillieren Sie dann Ihren eigenen Stil? Meine Werke entsprechen nicht der »klassischen Form« der »bande dessinée«. Ich pflege in meiner Arbeit keinen durchgängigen Stil, sondern wähle vielmehr immer wieder andere Formen und Hintergründe.

Warum sind Bildergeschichten gerade in Belgien so verbreitet? Nun ja, meine Theorie ist diese: Die Belgier durften nie etwas sagen gegen all ihre Invasoren. Also hielten sie den Mund und zeichneten ...

Sie sind in Wilrijk, das heute zu Antwerpen gehört, geboren, leben in Brüssel, sprechen sowohl Flä-

Brüssel ehrt mit vielen Gemälden auf Hauswänden die franko-belgischen Comc-Helden. Dazu gehören natürlich auch Tim, Struppi und Captain Haddock in der Rue de l'Etuve (s. Tipp S. 38).

misch als auch Französisch – wo ist Ihre Heimat? Brüssel empfinde ich als meine Heimatstadt. Ich liebe diese Stadt, denn ich gehe gern zu Fuß, und das kann ich hier wunderbar. Antwerpen kenne ich nicht gut genug, aber ich liebe den Antwerpener Dialekt.

Wie würden Sie Brüssel charakterisieren? Ich empfinde den Rhythmus der Stadt als langsam, bedächtig. Dieses Zurückhaltende ist typisch; es zeigt sich auch im Mangel an wirklich kühnen modernen Bauten.

In Ihrer Autobiografie spielt Brüssel eine wichtige Rolle. Ja, die Stadt ist quasi wie eine Person und wird mit ihren Vorzügen und Nachteilen, ihren Höhen und Tiefen dargestellt. Bei meiner Autobiografie bin ich erstmals nicht nur Zeichner, sondern auch Autor. Ich nehme mir große Freiheiten im Gestalten – man erkennt beispielsweise an einer bestimmten Stelle die Place de Brouckère, aber die Häuser sind nicht eins zu eins authentisch. Wichtig ist jedoch, dass alles stimmt: der Text und die Aufteilung der Seiten, wie bei einer Partitur. Auch die Farben. Mein Vater hat immer gesagt: Bildergeschichten – das bedeutet Atmosphäre.

Haben Sie einen Lieblingsplatz in Brüssel? Meine Lieblingsstraße in der Stadt ist der Boulevard Lemonnier, mein Lieblingsziel das östlich der Metropole gelegene Tervuren. Der wunderbare Park, die Sammlung des Museums – überall lässt sich hier der Geist von Léopold II. spüren. Diesem Regenten verdankt auch Brüssel seine Straßenstruktur. Besucher sollten auf die Dächer der öffentlichen Parkhäuser gehen oder auf die Dachterrassen der Hotels, um den Blick zu genießen. Unternehmen Sie Ausflüge in die Stadtteile ...

Fakten

Johan de Moor und seine Comic-Helden

»La vie à deux« (Leben zu zweit, 2016) und »Cœur glacé« (Vereistes Herz, 2014) heißen Werke dieses scheinbar alterslosen Künstlers, der mit seinem poppig-pastosen Strich zu den renommiertesten zeitgenössischen Comiczeichnern Belgiens zählt. In den 1990er-Jahren veröffentlichte er Serien wie »Gaspard de la Nuit« und »La Vache« (mit Stephen Desberg). In Brüssel sind von ihm als Wandbild u. a. zu sehen: »La Vache« am Abgang Rue du Damier 23 und »Lombard«, an der Place Horta in St. Gilles, wo er die wichtigsten Helden der Comicgeschichte (und vor allem der Serie »Tim & Struppi«) aus zwei Buchdeckeln herausspringen lässt. Einige Jahre unterrichtete Johan de Moor zudem Comiczeichnen am Institut Saint-Luc in Schaerbeek. 2008 und 2019 erhielt er den Grand prix du Press Cartoon Belgium (PCB) für die beste Pressezeichnung. 2020 entwarf er zusammen mit 75 Comiczeichnern das Comicbuch „Striphelden versus Corona“, um mit dem Erlös Comic-Läden zu helfen, die während der Corona-Pandemie ihre Türen schließen mussten. Originalzeichnungen von Johan de Moor sind in der Brüsseler Galerie The Cartoonist zu sehen (Rue Haute 11, www.thecartoonist.be).

Im Jugendstil-Ambiente des ehemaligen Kaufhauses Maison Waucquez von Victor Horta geht es im Brüsseler Comiczentrum (S. 40) auf eine Reise durch die aufregende Welt der »bande dessinée«.

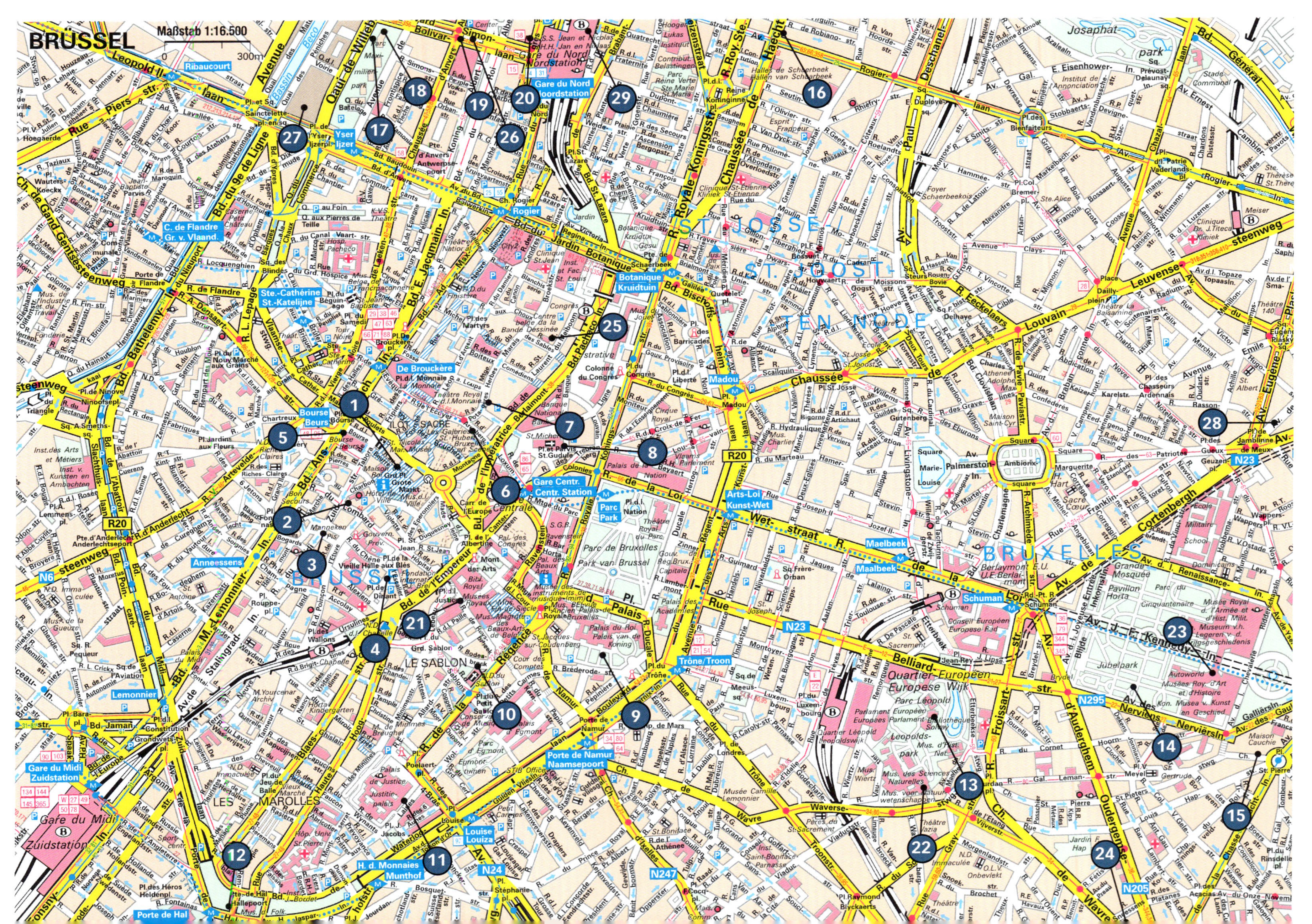
BRÜSSEL
Maßstab 1:16.500
300m

EUROPA, AFRIKA UND TYPISCH EIGENES

Belgiens Metropole besitzt viele Gesichter – als Residenz des kleinen Königreichs, als Sitz der NATO sowie als Sitz u. a. der EU-Kommission und des Rats der EU. Genau genommen besteht Brüssel aus 19 selbstständigen Städtchen, mit eigenen Bürgermeistern, Rathäusern, Einkaufsstraßen, Märkten und Ausgehvierteln. Ein kontrastreiches Konglomerat, ein wenig chaotisch, aber auch faszinierend.

1 – 20 Sehenswertes

Einzigartige Bauwerke, Museen von Weltrang, großbürgerliche Eleganz und exotische Vielfalt, kulinarischer und kultureller Schmelztiegel Dutzender Nationen – **Brüssel TOPZIEL** ist all das. Dabei war hier am Anfang nichts als eine Kapelle im Sumpf – das bedeutet wörtlich der Name Broeksele. Erstmals erwähnt ist er 966 in einer Urkunde Ottos des Großen. Etwa ein Jahrzehnt später errichtete Karl von Niederlothringen eine Burg auf einer Insel im Flüsschen Senne und schuf damit die Grundlage für die weitere Stadtentwicklung. Im 11. Jh. wird die erste Stadtmauer angelegt, die zweite (14. Jh.) spiegelt sich bis heute in den Boulevards des kleinen Rings wider und gab mit ihrer Fünfeckform dem Zentrum der heutigen Stadt seinen Beinamen Pentagon.

Brüssels größte Attraktion bildet die schon im 11. Jh. angelegte und nach der Zerstörung durch französische Kanonen im 17. Jh. wiedererbaute **1 Grand-Place**. Das eindrucksvoll große Rechteck mit seiner geschlossenen Fassadenfront aus Zunfthäusern zählt inzwischen zum Weltkulturerbe der UNESCO. Das reich dekorierte **2 Hôtel de Ville** (Rathaus) auf der Südwestseite (15. Jh.) ist ein Glanzstück Brabanter Gotik. Auf der Spitze seines 96 m hohen Turms steht eine vergoldete Statue des Erzengels Michael, des Patrons der Stadt. Bekannter als dieser ist sicher nur das **3 Manneken Pis** in der Rue de L'Etuve. Es gibt einen speziellen monatlichen Bekleidungskalender für die Figur.

Östlich gelangt man zur **4 Edition Jacques Brel** (Place de la Vieille Halle aux Blés 11, https://fondationbrel.be, tgl. 11.00–18.30 Uhr). Das Gebäude der **5 Bourse** (Börse, 1873), westlich der Grand-Place, beherrscht mit seinem Eklektizismus die Place de la Bourse am Boulevard Anspach. Westlich des Finanztempels – an dessen Rand auch die Jugendstilbrasserie Le Falstaff zur Einkehr lockt – führt die Rue Dansaert durch das trendige Mode- und Designviertel bis zum Canal de Charleroi, der daran erinnert, dass einst der innerstädtische Hafen um die Kirche St. Cathérine lag und die Senne mit ihren Nebenarmen und Grachten eine wichtige Wasserstraße war.

Östlich des Boulevards Anspach erinnern Straßennamen wie Rue au Beurre oder Rue des Bouchers an die Markttätigkeit in diesem Viertel. Heute reiht sich in dem Gassengewirr der **Ilôt Sacré** nördlich der Grand-Place ein Restaurant an das andere. Kaum weniger dicht drängen sich dort die Massen in den edlen, **6 Galeries Royales Saint-Hubert** (19. Jh.), an deren Ende man zum Platz der einstigen herzoglichen Münze gelangt, wo 1819 das **7 Théâtre Royal de la Monnaie** entstand.

IN DER OBERSTADT

Etwa auf halbem Weg in die Oberstadt steht die **8 Kathedrale Saint-Michel** (13.–15. Jh.) mit ihren beiden knapp 70 m hohen, stumpfen

Das Théâtre de la Monnaie ist nach der herzoglichen Münze benannt, die ihm weichen musste (oben links). Derart Großes steht im Musée des Sciences Naturelles (oben rechts).

Tipp

Fritten im Freien

Antoine an der Place Jourdan (Abb.) gehört zu den beliebtesten Quellen für die goldenen Kartoffelstäbchen. Seit 1948 besteht der Familienbetrieb; nun führen die Brüder Thierry und Pascal Willaert die inzwischen moderne Pommesbude im Herzen des Europaviertels in dritter Generation. Jeden Freitag kümmern sie sich persönlich um die vom Abgeordneten bis zum Straßenkehrer reichende Kundschaft. Kenner wählen die Dreieckstüte (»puntzak«) mit leicht gesalzenen »frieten«, »frietjes« oder »frites« – und eine der vielen Würzcremes im Döschen »à part«.

Türmen. Über die Rue Royale gelangt man ins königliche Brüssel: zum Park von Brüssel, dessen Hauptachse auf das **9 Palais Royal** zuführt (19. Jh., jährlich im August sind die prunkvollen Innenräume zu besichtigen) und zum Mont des Arts (Kunstberg) mit seinen Museen um die Place Royale. Zwischen Rue de la Régence und Boulevard de L'Empereur liegt der von edlen (Antiquitäten-)Geschäften und Restaurants gesäumte **10 Grand Sablon,** ebenfalls ein markanter Punkt am Übergang von der Altstadt im Tal zur königlichen Oberstadt.

Vielversprechende Genüsse: Obst in allen Varianten auf dem Markt an der Gare du Midi (oben), wirklich traditionell gebrautes Bier in der Brauerei Cantillon (links).

MAROLLENVIERTEL

Vom **11 Palais de Justice,** 1866/83 errichtet und seinerzeit mit seinen Grundmaßen (160 x 150 m) das größte Gebäude der Welt (an Werktagen kann es frei besichtigt werden), gleitet ein gläserner Aufzug hinab in die Marollen. Das Einwandererviertel im Süden gilt – trotz finanzstärkerer Bewohner und einiger Szenelokalitäten – noch immer als das ursprünglichste der Stadt. In der Rue Haute 132 lebte der Maler Pieter Bruegel d. Ä. (ca. 1525–1569). Die **12 Porte de Hal** (14. Jh.) am Ende der Rue Blaes ist das einzige erhaltene Tor der zweiten Stadtbefestigung.

ÖSTLICHES STADTGEBIET

Rund um den Rond-Point Schuman, im historischen Quartier Léopold, liegt die Keimzelle des Europaviertels mit seinen modernen Verwaltungspalästen. Das Besucherzentrum Parlamentarium vermittelt via Audioguide und Bildschirm einen Einblick in den Alltag des **13 EU-Parlaments** (Willy-Brandt-Gebäude, Rue Wiertz 60, www.europarl.europa.eu, Di.–Fr. 9.00–18.00, Sa./So. 10.00–18.00, Mo. 13.00–18.00 Uhr, Eintritt frei). Der Triumphbogen im **14 Parc du Cinquantenaire** (1880 angelegt) wurde 1905 zur 75-Jahr-Feier Belgiens eingeweiht; er ist Mittelpunkt eines Gebäudeensembles, das zwei königliche Museen birgt. Die benachbarte, restaurierte **15 Maison Cauchie** (1905) zählt zu den schönsten Art-nouveau-Bauwerken der Stadt (Rue des Francs 5, www.cauchie.be, einstündige Führung So. 10.00–17.00 Uhr). Auch um den Square Ambiorix nördl. des Parks finden sich Jugendstilbauten, darunter Hôtel Van Eetvelde und Hôtel Deprez- Vandervelde von Victor Horta (Avenue Palmerston 4 und 3). In Schaerbeek, ebenfalls Fundgrube für Art déco, hat der Comic-Künstler François Schuiten Hortas **16 Maison Autrique** (Chaussée de Haecht 266, www.autrique.be, Mi.–So. 12.00–18.00 Uhr) wieder zum Leben erweckt.

NORDWESTLICH DES ZENTRUMS

Das **17 Atomium** TOPZIEL wurde zur Weltausstellung 1958 errichtet. Im Innern bietet es eine spannende Reise durch die Röhren und zu den drei unteren Eckkugeln mit Ausstellungen sowie zur höchsten Kugel mit dem Restaurant – über einen Aufzug, Treppen, Rolltreppen (https://atomium.be, tgl. 10.00–18.00 Uhr). Ein Superlativ ist auch die ca. 100 m hohe **18 Basilique National du Sacre Cœur** (1905–1970). Etwa 80 Städte und mehr als 350 Bauwerke im Maßstab 1:25 umfasst der Miniaturpark **19 Mini-Europe** (Bruparck, Blvd. du Centenaire, www.minieurope.com, Mitte März–Anf. Jan. 9.30–17.00/19.00 Uhr). Jeweils einige Wochen (ab Ende April) öffnet das Königshaus die **20 historischen Gewächshäuser des Palastes von Laeken** (Avenue du Parc Royal, www.monarchie.be/de/kulturerbe/koniglichen-gewachshauser-von-laeken).

IM SÜDEN

In den Vierteln Ixelles, St-Gilles, Uccle und Etterbeek trifft man auf eine Fülle von **Jugendstilbauten,** darunter die Häuser Rue Defacqz 71 und Rue Janson 6, das von Victor Horta entworfene Hôtel Tassel). Ein Teil von Ixelles wird **»Matonge«** genannt, nach einem Viertel der kongolesischen Hauptstadt Kinshasa. An Wochenenden strömen afrikanische Besucher aus Europa zum Einkaufen her.

21 – 27 Museen

Die **21 Musées Royaux des Beaux-Arts de Belgique** (Museen der Schönen Künste) umfassen inzwischen sechs Sammlungen, darunter das **Musée Old Masters Museum** (Alte Kunst), das **Musée Modern Museum** und das **Musée Fin-de-Siècle Museum** (Kunst um 1900). Auch das **Magritte Museum** mit mehr als 200 Werken des surrealistischen Künstlers gehört dazu (Rue de Régence 3/Place Royale 1, https://musee-magritte-museum.be, alle Di. bis Fr. 10.00–17.00, Sa./So. 11.00–18.00 Uhr). Margrittes Haus im Stadtteil Jette ist als **Musée René Magritte** Pilgerort für seine Fans und wurde kürzlich durch Belgiens erstes Museum für Abstrakte Kunst ergänzt (137 rue Esseghem, www.magrittemuseum.be, Mi.–So. 10.00–18.00 Uhr). Das **22 Musée des Sciences Naturelles** birgt Europas größte Dinosaurier-Galerie (Rue Vautier 29, www.naturalsciences.be, Di.–Fr. 9.30–17.00, Sa./So. 10.00 bis 18.00 Uhr). Die vier **23 Musées Royaux d'Art et d'Histoire** führen v. a. durch Antike und Mittelalter (Parc du Cinquantenaire 10, www.artandhistory.museum, Mi.–Fr. 9.30 bis 17.00, Sa./So. 10.00–17.00 Uhr). Zum **24 Horta-Museum** wurde das Privathaus des Jugendstil-Architekten und Designers Victor Horta (Rue Américaine 25, www.hortamuseum.be, Di.–Fr. 14.00–17.30, Sa./So. 11.00–17.30 Uhr). In einem Jugendstil-Kaufhaus nach den Entwürfen von Horta ist das **25 Belgische Comic-Zentrum** (Rue des Sables 20, www.cbbd.be, Di.–So. 10.00–18.00 Uhr) untergebracht. Die Privatsammlung Plasticarium bildet den Kern des **26 Design Museum Brussels** in Heysel (Place de Belgique 1, https://designmuseum.brussels, tgl. 11.00–19.00 Uhr). 2025 eröffnet das Museum für zeitgenössische Kunst **27 Kanal – Centre Pompidou** (Square Sainctelette 11-12, https://kanal.brussels, voraussichtlich Do.–So. 11.00–19.00 Uhr) in den Citroën-Werkstätten der 1930er-Jahre.

AKTIVITÄTEN

Es gibt Stadtführungen, u. a. per Fahrrad (www.provelo.org), für Feinschmecker, zu den Zeugnissen des Art nouveau sowie zu Künstlerateliers (2–4 rue Royale, www.arkadia.be).

Comic-Route

Über 60 Stationen umfasst nun der 1993 initiierte »Strip Parcours«. Die großflächigen Fassaden-Szenarien reichen von Hergés »Tintin« in der Rue de über Frank Pés androgynes Pärchen »Broussaille und Ragebol« nahe dem Plattesteen bis hin zur Wand mit Lucky Luke und den Daltons von Jacques Martin (alias Morris) in der Rue de la Buanderie. Auch die Gare du Midi, der Boulevard Pachéco und einige Straßen in Laeken sind mit Comics geschmückt.

Routen und Verzeichnis unter www.bruxelles.be/parcours-bd

VERANSTALTUNGEN
Lebhaft mit Blasmusik geht es bei dem seit 1919 täglich stattfindenden **Flohmarkt in den Marollen** (Place du Jeu de Balle, Mo.–Fr. 9.00 bis 14.00, Sa./So. 9.00–15.00 Uhr) zu. In der alten Markthalle an der Place Saint-Géry findet jeden ersten So. im Monat der **Brussels Vintage Market** statt (http://brusselsvintagemarket.be, 10.00–18.00 Uhr). Gaukler, Reiter und Fanfarenspieler bevölkern Ende Juni/Anfang Juli das »Fünfeck« der Metropole beim **Ommegang TOPZIEL.** Der Umzug endet auf der Grand-Place mit einem Prunkfest wie im 16. Jh. (www.ommegang.be). Alle zwei Jahre (2024 ...) am Wochenende des 15. August wird auf der Grand-Place für drei Tage ein **Blumenteppich** ausgelegt. Beim **Bal National** am 20. Juli (Place Jeu de Balle, www.balnational.be), dem Vorabend des Nationalfeiertags, zeigt sich das ursprüngliche Brüssel. Das **Brussels Jazz Festival** gastiert im einstigen Radio-Gebäude (Flagey, Place Sainte- Croix, www.flagey.be), der **Designseptember** (www.designseptember.be) in der ganzen Stadt.

HOTELS
Viel Weiß und Grau prägen das Ambiente im **€ € / € € € Hotel Made In Louise** unweit der gleichnamigen Metrostation (48 Zi., Rue Veydt 40, www.madeinlouise.com). Mit nur 12 Zimmern wirkt das **€ € Hotel Cafe Pacific** (Rue Antoine Dansaert 57, https://hotel-cafe-pacific-brussels.hotel-mix.de) wie ein Privathaus.

RESTAURANTS
Das **€ € € € Le 65 degrés** serviert hervorragende französisch-belgische Mittags- und Abendmenüs (Avenue Louise 173, www.65degres.be). Gueuze und Kriek aus der eigenen Brauerei, Quarkbrote, Omelett – v. a. das Jugendstilinterieur begeistert im **€ / € € À la Mort Subite** (Rue Montagne aux Herbes Potagères 7, www.alamortsubite.com). Wiedererstanden ist das Künstler-/Literatencafé von 1927 **€ / € € Goudblommeke** (Rue des Alexiens 55, https://goudblommekeinpapier.be/cafe; tgl. 8.00–24.00 Uhr).

EINKAUFEN
Für Modisches empfiehlt sich das trendige Dansaert-Viertel; vornehmer geht es auf der Avenue Louise zu. Spektakulär ist die Shopping-Galerie des Anspach Center.

28 – 29 Umgebung

Etwa 15 km östl. liegt 28 **Tervuren** mit dem Musée Royal de l'Afrique Centrale (www.africamuseum.be). Die Domaine Bouchot in 29 **Meise** (ca. 15 km nordwestlich) beherbergt Belgiens Nationalen Botanischen Garten (Nieuwelaan 38, www.plantentuinmeise.be).

INFORMATION
Tourist Info in Brüssel, Grand-Place (Rathaus), www.visit.brussels/de; Filiale: Rue Royale 2; beim Europäischen Parlament (Station Europe, Place du Luxembourg)

KUNST IM METROSCHACHT

Glasmalerei, Fotografie, Mosaik, Plastik – annähernd 70 Metrostationen wurden seit Inbetriebnahme des Liniennetzes von belgischen Künstlern unterschiedlich gestaltet. Wir starten unsere Fahrt zur Kunst an der Station Bourse (Börse). Paul Delvaux, surrealistischer Maler, hat hier 1978 auf einem 13 Meter langen Ölgemälde die alten Brüsseler Trambahnen verewigt. Zwei Jahre zuvor hatte Pol Bury in der Schalterhalle die Deckeninstallation »Moving Ceiling« aus 75 Stahlzylindern geschaffen.

An der Station Rogier, wo der Fotograf Pierre Cordier sein »Zigzagramme« (1988) montierte, steigen wir in die Linie 2 in Richtung Clemenceau um. An »Botanique/Kruidtuin« beleben 21 farbig gefasste Fantasiefiguren aus Holz den Untergrund. Pierre Caille hat sie im Jahr 1980 geschaffen. Weitere Kunstwerke zieren die Quais: Jean-Pierre Ghysels Skulpturenrelief, das an den Flug eines Vogels denken lässt (»The Last Migration«, 1977), Emile Souplys bunte, zu Strängen gebündelte Röhren (1978) und die Hommage an Fernando Pessoa (1992) von Júlio Pomar, dem einzigen nichtbelgischen Künstler.

»Notre Temps« (1976) von Roger Somville in der Station Hankar

Über den Halt Louise mit Marcel Maeyers 100-Buchstaben-Wand (2002) und Edmond Dubrunfauts »Terre en fleur« (1985) aus Kacheln und Tapisserien fahren wir weiter zur Porte de Hal mit Raoul de Keysers Farbflächen (1988) und François Schuitens Wandrelief einer modernen Stadt, das mit Teilen alter Straßenbahnen versehen ist.

Die Broschüre **Quand l'art prend le métro** (frz., Wenn Kunst die U-Bahn nimmt) mit über 80 Kunstwerken an 69 Haltestellen ist für 5 € hier erhältlich: Standardbuchhandel, Place de la Monnaie 4, 1000 Brüssel bzw. Brüsseler Straßenbahnmuseum, Av. de Tervueren, 364B, 1150 Brüssel oder kostenlos über www.stib-mivb.be (Stichwort »Bruxelles«, dann »Art dans le métro«).

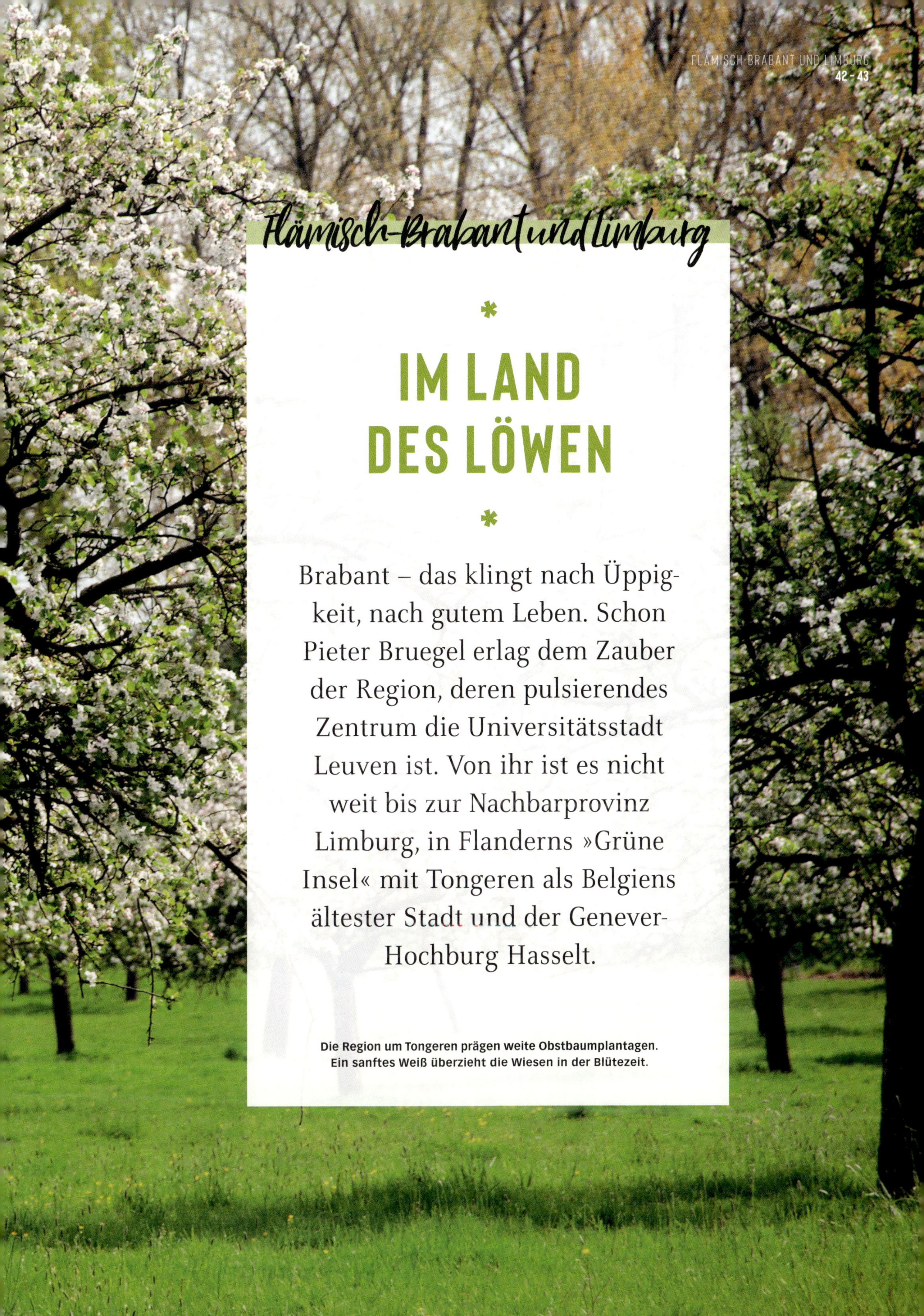

Flämisch-Brabant und Limburg

IM LAND DES LÖWEN

Brabant – das klingt nach Üppigkeit, nach gutem Leben. Schon Pieter Bruegel erlag dem Zauber der Region, deren pulsierendes Zentrum die Universitätsstadt Leuven ist. Von ihr ist es nicht weit bis zur Nachbarprovinz Limburg, in Flanderns »Grüne Insel« mit Tongeren als Belgiens ältester Stadt und der Genever-Hochburg Hasselt.

Die Region um Tongeren prägen weite Obstbaumplantagen. Ein sanftes Weiß überzieht die Wiesen in der Blütezeit.

Nicht weit von Brüssel entfernt kann man durch das Grün des Gartens von Schloss Gaasbeek spazieren.

Im gotischen Rittersaal von Schloss Gaasbeek (rechts) sind alte Möbel, vor allem aber die wunderschön verzierte Decke zu bewundern. Bei der Fülle an besuchenswerter Kultur sorgen süße flämische Leckereien, etwa aus dieser Konditorei in Hasselt (oben), für die nötige Energie.

Pieter Bruegel d. Ä. (um 1525/1530–1569)

Heuernte und Bauernhochzeit

Knapp sieben Kilometer trennen die ländliche Idylle um Dilbeek, Itterbeek und Sint-Anna-Pede von der Brüsseler Hoogstraat, in der Pieter Bruegel d. Ä. die letzten sechs Jahre seines Lebens verbrachte.
1563 hatte der Umzug von Antwerpen nach Brüssel stattgefunden, wo der Künstler Mayken Coecke heiratete, die Tochter von Pieter Coecke von Aelst, seinem früheren Lehrmeister in der Scheldestadt.

Zwei Jahre nach der Hochzeit erhielt Bruegel von dem Antwerpener Sammler Niclaes Jonghelinck den wohl umfangreichsten Auftrag seiner Karriere: den Zyklus der Monatsbilder. Schon vor dieser Bestellung hatte es den Maler präziser Lebensstudien häufig hinaus in die sanften Hügel und weiten Felder von Brabant gezogen, ins Pajottenland, wo Gemüse ebenso prächtig gedeiht wie Korn und Hopfen. Bruegel liebte die fetten Wiesen mit ihren Obstbäumen. Er spazierte gern in die von fruchtbaren Äckern umgebenen Dörfer mit ihren gedrungenen spitzdachigen Kirchen, genoss in urigen Wirtshäusern das spritzige Geuze-Bier und erfreute sich stets aufs Neue am Zauber der sich spiegelnden Teiche und klaren Bäche, der hölzernen Mühlen und der aus Lehm erbauten Gehöfte. All diese Stimmungen und Motive flossen in seine Werke ein – in die berühmte »Bauernhochzeit«, in die »Heuernte« wie in »Das Gleichnis von den Blinden«.

Pieter Bruegel d.Ä., »Bauerntanz«, um 1568

Informativer Stopp an der Bruegelroute

Dank des Engagements von Albrecht de Schrijver, einem Geschäftsmann aus Itterbeek, ist ein gutes Dutzend dieser Brabanter Gemälde nun auch dort zu sehen, wo Bruegel seine Inspiration dazu fand: in der freien Natur am östlichen Rand des Pajottenlands. Ausgangspunkt der Tour zu den Bruegel-Reproduktionen (es handelt sich um Emaille-Schilder) ist das Dörfchen Sint-Anna-Pede. Unter den vier Bruegel-Tableaus am baumbestandenen Kirchhof findet man auch ein mit rotbrauner Tinte gezeichnetes Selbstbildnis. Die Bruegeltour ist rund acht Kilometer lang.

Nur knapp 20 Minuten braucht der Zug von Brüssel nach Leuven, und zu Stoßzeiten wird es eng in den Waggons. Dann sind die vielen Pendler unterwegs, die in der belgischen Hauptstadt ihren Arbeitsplatz haben, jedoch in Leuven oder in den umliegenden Dörfern des grünen Hagelands wohnen. Leuven selbst besticht ebenfalls durch kurze Wege; die Innenstadt hat einen Durchmesser von gerade einmal zwei Kilometern. Fußgänger genießen hier absolute Priorität im Straßenverkehr; selbst die in engem Takt fahrenden Linienbusse halten für Passanten an – und das ganz ohne Ampel oder Zebrastreifen.

JAHRHUNDERTEALT UND QUICKLEBENDIG

Dank seiner 60 000 Studenten (Leuven hat 102 000 Einwohner!) atmet Leuven, das im Mittelalter zeitweise einflussreicher war als sein Erzrivale Brüssel, eine jugendlich-heitere Energie. Die fast ausgelassene Stimmung auf den Straßen und Plätzen, in den vielen Kneipen und Cafés paart sich mit traditionellem Wohlstand und Savoir-vivre. Das zeigen die edlen Geschäfte der Altstadt ebenso wie die prächtigen Kollegienbauten. Mehr als 80 Nationalitäten büffeln an den 15 Fakultäten der Katholischen Universität. Deren Gründung geht auf das Jahr 1425 zurück; sie ist damit die älteste Hochschule der ehemaligen Niederlande. Namhafte Wissenschaftler und Persönlichkeiten wie Adriaan van Utrecht (Papst Hadrian VI.), Erasmus von Rotterdam und Gerhard Mercator gingen aus ihr hervor. Auch die Urknall-Theorie wurde in Leuven geschrieben – 1927 von dem Theologen und Astrophysiker Georges Lemaître.

Bereits sechs Jahrzehnte vor der Hochschulgründung taucht der Name »Den Horen« zum ersten Mal in den herzoglichen Zinsbüchern auf – und 1537 ist diese Brauerei, die später als Stella Artois weit über Flanderns Grenzen berühmt werden sollte, schon das wichtigste Un-

Der Große Beginenhof in Leuven (oben) hat nichts von seiner ruhigen Atmosphäre verloren. Erheblich lebendiger wirken dagegen das Leuvener Rathaus (unten) mit seinen Türmchen, dem üppigen Figurenbesatz und Blendwerk in der Architektur und der Oude Markt (rechts) mit den vielen Studenten.

Gelb dominiert den Käseladen in Leuven.

In der Hausbrauerei Domus in Leuven fließt das Bier per Standleitung in die Kneipe.

ternehmen von Leuven. Gerstensaft und Wissensvermittlung also verhalfen der Stadt an der Dijle zu ihrer historischen Blüte. Inzwischen schickt sich Leuven an, mit moderner Architektur (vor allem rund um den Bahnhof) und der Sanierung ehemaliger Industriegebäude und historischer Bauwerke Zeichen zu setzen. Der Blick ist zudem auf das Kulinarische gerichtet, das aufgewertet werden soll, etwa durch die moderne Interpretation regionaler Gerichte. Man rief das Leuven Innovation Beer Festival auf dem Gelände der alten De-Hoorn-Brauerei ins Leben, an dem sich Restaurants mit darauf abgestimmten Gerichten beteiligen.

EIN KONFLIKT ESKALIERT

Die Katholische Universität Leuven war traditionell französischsprachig, doch der Anteil der flämischsprachigen Studenten nahm kontinuierlich zu und führte zu Konflikten, die in den 1960er-Jahren zu heftigen Auseinandersetzungen zwischen Studierenden führte. Schließlich kam es vor allem auf Druck der Flämischsprachigen zu einer Aufteilung der K.U. Leuven in eine niederländische (KUL) und eine französische Hochschule (UCL). Erstere behielt ihre Sitz in Leuven, die UCL (Université Catholique de Louvain) verlegte man in den neu gegründeten Ort Louvain-la-Neuve im wallonischen Landesteil.

VON LÖWEN, SUMPF UND WALD

Mag auch der König der Tiere den gleichen Namen tragen, so ist das flämische Leuven (Löwen) doch keineswegs nach dem majestätischen Vierbeiner benannt. Denn der Leu (fläm. »leeuw«) hat mit Leuven rein gar nichts zu tun. Die vor dem 16. Jahrhundert gebräuchlichen Bezeichnungen für die Universitätsstadt taugen da schon eher zu einer Erklärung: »Loven«, »Lovenne« und »Loevenne« sagte man damals zu der Siedlung an der Dijle; und das rührt nach Expertenmeinung wohl von den beiden Worten »lo« und »ven« her: Sumpf und Wald. Tatsächlich liegt ja Leuven in unmittelbarer Waldnähe – und das Tal der Dijle war einst sumpfig. Der Löwe von Flandern existiert jedoch durchaus; es handelt sich dabei um Robert III. von Béthune, der als Graf von Flandern im 14. Jahrhundert gegen Frankreich kämpfte, erfolgreich taktierte und einen Frieden errang. Und die Grafen von Flandern führten den Löwen im Wappen.

Der flämische Autor Hendrik Conscience machte 1838, also kurze Zeit, nachdem Belgien unabhängig geworden war, Graf Robert in seinem Roman »De Leeuw van Vlaanderen« zum Helden der Sporenschlacht von 1302 und verherrlichte ihn als Befreier Flanderns (obwohl Robert gar nicht an der Schlacht teilnahm, da er seit 1300 Gefangnere des französischen Königs war). Seither ist der Löwe das Symbol des flämischen Kampfes für politische und kulturelle Eigenständigkeit. Hippoliet van Peene (1811–1864) widmete ihm ein Gedicht, das Karel Miry (1823–1899) vertonte und das 1973, nachdem es schon Jahrzehnte in der Bevölkerung etabliert war, per Dekret zur Hymne Flanderns erhoben wurde. Die erste Strophe (s. S. 58) lautet in deutscher Übersetzung etwa: »Sie werden ihn nicht zähmen, den stolzen flämischen Löwen, / wenn sie seine Freiheit auch mit Fesseln und Geschrei bedrohen. / Sie werden ihn nicht zähmen, solange ein Flame lebt, / solange der Löwe Klauen hat, solange er Zähne hat.«

LEUVEN SETZT NEUE ZEICHEN – FÜR AUGE, OHR UND GAUMEN.

REBENSAFT

»Meerdael« nennt sich der moussierende Chardonnay, der auf der Wein-

Die Komturei Alden Biesen geht auf den Deutschen Orden zurück (oben). Der Vierkanthof bei Tienen ist ein einziges, um den Innenhof errichtetes Gebäude

Der Haspengau ist Obstland: vor allem Äpfel, aber auch Kirschen, Birnen und Pflaumen wachsen hier.

Gestreift kommt das Mauerwerk am Kasteel van Horst in Sint-Pieters-Rode daher.

Hoge Kempen in Limburg, der erste Nationalpark Belgiens, schützt Heide, Wald und Wild.

SCHON ZU ZEITEN DER RÖMER WURDE IN BELGIEN WEIN ANGEBAUT.

karte von manchem Restaurant in Leuven steht. Paul und An Vleminckx-Lefever haben die gut 60 000 Reben für diesen Wein – als dessen Taufpate der nahe Meerdael-Wald diente, in dem schon Kaiser Karl V. zu jagen pflegte – mit Spezialisten aus der Champagne in Vaalbeek gepflanzt. Und wie ihre etwa 30 Winzerkollegen zwischen Leuven und Aarschot knüpfen sie auf ihrer Domaine südlich von Leuven an eine uralte Tradition an. Denn schon zu Zeiten der Römer wurde in Belgien Wein angebaut; eine zweite Blüte erlebte die dortige Rebkultur im Mittelalter. Klimaveränderungen und die Konkurrenz aus Burgund führten im 15. Jahrhundert jedoch zur Aufgabe des Weinbaus. Das älteste Material über die Rebkultur in der Gegend von Leuven geht zurück auf das Jahr 1121. Die heutigen Rebflächen Belgiens umfassen rund 400 Hektar und wurden im 20. Jahrhundert angelegt. Als Rebsorten haben sich vor allem Kerner, Pinot Gris, Chardonnay, Pinot Noir, Pinot Blanc und Riesling durchgesetzt.

Es gibt jedoch auch autochthone Sorten wie Leopold III., Maréchal Joffre und Loonse Vroege. Rund 50 Domänen zählt das Land insgesamt, das Gros davon in Flandern: im Hageland und im Haspengau. Die brabantischen Weinbauern erhielten bereits 1996 das A.O.C.-Gütesiegel für ihren Hagelandsewijn; drei

Auf dem Marktplatz von Tongeren schaut Eburonenfürst Ambiorix zur Basilika.
Er führte im Jahr 54 v. Chr. den Aufstand der keltischen Eburonen gegen die Römer an.

Der Geschichte des Nationalgetränks Genever können Besucher im Nationalen Genevermuseum in Hasselt auf den Grund gehen.

Nach der Leonardus-Prozession in Zoutleeuw versammelt man sich in der Kirche Sint-Leonardus. Sie hat als eine der wenigen Kirchen in Flandern den Bildersturm im 16. Jahrhundert überstanden.

Jahre später kamen auch die Kollegen aus Limburg in den Genuss des Qualitätslabels Appellation d'Origine Contrôllée: A.O.C.

HOCHPROZENTIGES

Flandern ist nicht nur die Wiege zahlreicher Bierspezialitäten, sondern auch des Genevers. Bereits im 16. Jahrhundert künden die Chroniken von dem hochprozentigen Getreide-Destillat. Anfänglich wurde es lediglich als Heilmittel für die unterschiedlichsten Krankheiten verwendet, tropfenweise verabreicht und mit allerlei Beeren, Samen und Kräutern angereichert. Den Vorzug erhielt dabei rasch die Wacholderbeere (fläm. »jeneverbes«), denn der Wacholderstrauch war in Belgien weit verbreitet und seine Früchte galten schon lange als probates Mittel etwa bei Haut- und Darmproblemen. Bald stellte man freilich fest, dass das aus Roggen- und Gerstenmaische gewonnene »Lebenswasser« nicht nur bei körperlichen Gebrechen Wirkung zeigte, sondern auch »den mensche droefheid« (des Menschen Betrübnis) vergessen ließ. Vom Arzneimittel wandelte sich das offenkundig Euphorie erzeugende Aqua vitae so zum Genussmittel.

Im 17. Jahrhundert indes verboten die Erzherzöge Albrecht und Isabella Produktion und Verkauf. Hasselt allerdings,

Special

Chicorée

Weißes Gold in Knospenform

»Witloof« – fast jeder Flame bekommt leuchtende Augen, wenn von diesem zarten »weißen Laub« die Rede ist – dem Chicorée.

Wie Muscheln und Fritten versteht man den Chicorée vor allem in Flandern als nationale Angelegenheit – obgleich das Nachbarland Frankreich bei der Anbaumenge weltweit immer noch die Nase vorne hat. Aber Belgien bzw. Flandern beansprucht, den kulinarischen Wert des Chicorées »entdeckt« zu haben (bevorzugt mit Schinken und Käse überbacken). Zwar war die Gemeine Wegwarte, zu deren Familie der schmackhafte Korbblütler zählt, schon den alten Griechen und Römern bekannt. Vom Mittelalter an wurde sie wegen ihrer Wurzeln kultiviert, aus denen man einen trinkbaren Sud bereitete: den Zichorien-»Kaffee«. Ab 1860 sorgten die bleichen, feinen Chicoréeblätter bereits für einen Nachfrageboom auf Brüssels Märkten. Immer mehr Landwirte in Mittelbrabant bauten das Gemüse an. Heute zählt Brabant etwa 300 professionelle Chicorée-Züchter – Traditionalisten ebenso wie Anhänger moderner Hydrokultur. Wichtig bei beiden Methoden ist die gleichmäßige Temperatur während des Treibprozesses und die Abschottung von Tages- wie Kunstlicht. Sonst würde sich Chlorophyll ausbilden, und mit ihm würden sich mehr Bitterstoffe entwickeln.

Belgiens Nationalgemüse: Chicorée

Das Freilichtmuseum Bokrijk bei Genk lässt das Leben um 1900 aufleben, mit Handwerk, …

Weite Heidelandschaft mit struppigem Grün und Lila als warme Grundtöne bezaubert zur Blütezeit im Limburger Kempenland.

… mit Bauten wie Bauernhäusern, aber auch einer Mühle …

… und traditionellen 2 PS fürs Weiterkommen.

»GENEVER WAR EINE VIEL BESSERE ARZNEI, UND UM DAS ZU ENTDECKEN, HATTE ER KEINEN ARZT NÖTIG GEHABT.«

John Vermeulen, Die Elster auf dem Galgen

das bis 1795 nicht zu den von Albrecht und Isabella regierten Südlichen Niederlanden gehörte, sondern zum Prinzbistum Lüttich, fiel nicht unter das Verbot. In den Österreichischen Niederlanden dann wurde das Brennen von Kornbranntwein – außer bei Getreideknappheit – in ganz Flandern wieder zugelassen. Als im 19. Jahrhundert die belgische Geneverproduktion erneut einen Höhepunkt erreichte, war Hasselt mit 26 Brennereien die wichtigste Produktionsstätte im ganzen Land. Eine dieser historischen Branntweindestillen steht heute im Nationalen Genevermuseum.

FESTFREUDEN ZU EHREN DER JUNGFRAU MARIA

Zur Muttergottes hat Limburg offenbar eine besondere Beziehung. Bereits im 4. Jahrhundert soll der hl. Maternus ihr zu Ehren im heutigen Tongeren eine Kirche errichtet haben. Tausende von Pilgern strömten alsbald in ihre Mauern. 1890 goss Tongeren die seit dem Mittelalter gepflegte Pilgertradition in eine feste Form und feiert seither alle sieben Jahre das Marienkrönungsfest (Kroningsfeesten). Vier Prozessionen und vier abendliche Heiligenspiele locken die vielen Zuschauer an.

Im Mittelpunkt des frommen Spektakels steht eine Marienfigur aus Holz, die im 15. Jahrhundert von einem heute unbekannten Schnitzer geschaffen wurde. Neben der Figur wird auch eine Fülle kostbarer Reliquien durch die Straßen getragen. Und jeder zehnte Einwohner Tongerens ist mit von der Partie, wenn das Marienleben in chronologischer Abfolge dargestellt wird: in historischer Kleidung, mit passender – echter! – Haar- und Barttracht. Nach gut drei Stunden erreicht das Gnadenbild der Jungfrau wieder die Kathedrale, um dort auf die nächsten Feierlichkeiten zu warten.

Ebenfalls nur alle sieben Jahre verlässt die Virga Jesse ihren angestammten Platz in Hasselt. Es handelt sich um eine gotische Marienstatue aus farbig gefasstem Eichenholz. Seit 1682 bereits pilgern die Gläubigen ihr zu Ehren durch die Stadt; vier Kilometer misst der mit Blumen und Flaggen geschmückte Parcours, der Jesseommegang. Chöre und Musikgruppen ergänzen das Prozessionsspektakel; zudem gibt es ein Glockenspiel- und Orgelfestival. An der Basilika wird in Anwesenheit des nur zu diesen Feierlichkeiten erscheinenden »Riesen« Langemann – einer Figur der Stadtgeschichte – traditionell Erbsensuppe verteilt. Ebenfalls eingebettet in ein großes Fest mit Kirmes findet am Pfingstmontag die Prozession zu Ehren des Sint-Leonardus in Zoutleeuw statt.

Die interessantesten Restaurants

VON FEINEM GESCHMACK

Flandern ist ein Eldorado für Feinschmecker ebenso wie für Liebhaber zünftiger Kost. Typische Brasserien servieren deftige Klassiker zum passenden Bier; junge Köche und Köchinnen interpretieren das kulinarische Erbe ihrer Heimat auf zeitgenössische Weise, sodass für jeden Geschmack etwas dabei ist.

1 Bonte B

Einfach, ehrlich, entspannt: Bernard Bonte kreiert seine Gerichte jeweils um das Hauptprodukt herum – das kann mal ein Ochsenschwanz sein oder auch ein Stück Wildschweinfilet. Letzteres begleiten dann Gieser-Wildermann-Birne und Rosenkohl; das Dessert umfasst Schokoladen-Bavaroise, Joghurt-Mousse und Bananeneis sowie Calamondinorange. Der kleine Gastraum ist wohltuend schlicht mit viel Holz ausgestattet.

Dweersstraat 12,
8000 Brügge,
Tel. 050 34 83 43,
www.restaurantbonteb.be,
So./Mo. geschl.

2 Mémé Gusta

Pure flämische Küche wie aus Großmutters Zeiten in einem geselligen Vintage-Ambiente mit Lederbänken, langem Holztisch und handgeschriebener Karte auf Schulheftseiten bieten Jan und Nele in ihrem Restaurant. Das Angebot reicht von gegrillten Markknochen über Rochenflügel mit Kapern bis hin zu Garnelen-Kroketten, Königinnenpastetchen, Stomp (Kartoffelstampf mit Wurst) und Stoopflees, einem Schmorfleisch-Gericht mit Schweinebäckchen, von dem es auch eine vegetarische Variante gibt, dann mit Seitan.

Burgstraat 19, 9000 Gent,
Tel. 093 98 23 93,
www.meme-gusta.be,
Mo./So. geschl., Mi. nur abends

3 Greenwich Modern

Schon René Magritte saß hier am Schachbrett, und auch als Filmkulisse diente dieses authentische Belle-Époque-Lokal mit seiner herrlichen Glasdecke, den Kugellüstern, Wandspiegeln, stuckgerahmten Werbeplakaten und echten Goldverzierungen. Aufgetischt wird vom neuen Team (seit 2022) neben Cecina vom Rind, getrocknetes Rippensteak, Wagyu-Rind und Rumpsteak auch Lachs, Scampi und hausgemachte Garnelenkroketten.

7, rue des Chartreux,
1000 Brüssel,
Tel. 02 7 33 77 45,
https://greenwichmodern.be, Mo./Di. geschl.

4 Castor

Der junge Chef Maarten Bouckaert überrascht durch Klarheit und Enthusiasmus in der Optik seines Restaurants ebenso wie auf dem Teller. Seine hauptsächlich auf regionalen Produkten basierenden Kreationen sind originell, schön und zeugen von Bouckaerts Liebe zum Detail. Traditionelle Gerichte wie Täubchen oder Barsch »würzt« er gekonnt mit zeitgenössischer Raffinesse und schafft so neue Geschmackserlebnisse; auch bei den Saucen ist nur die Basis klassisch. Bouckarts Können belohnte der Guide Michelin inzwischen mit zwei Sternen. Bei schönem Wetter kann man einen Aperitif oderKaffee auf der Außenterrasse genießen.

Kortrijkseweg 164,
8791 Beveren-Leie,
Tel. 056 19 01 21,
www.cas-tor.be,
Sa./So./Mo. geschl.

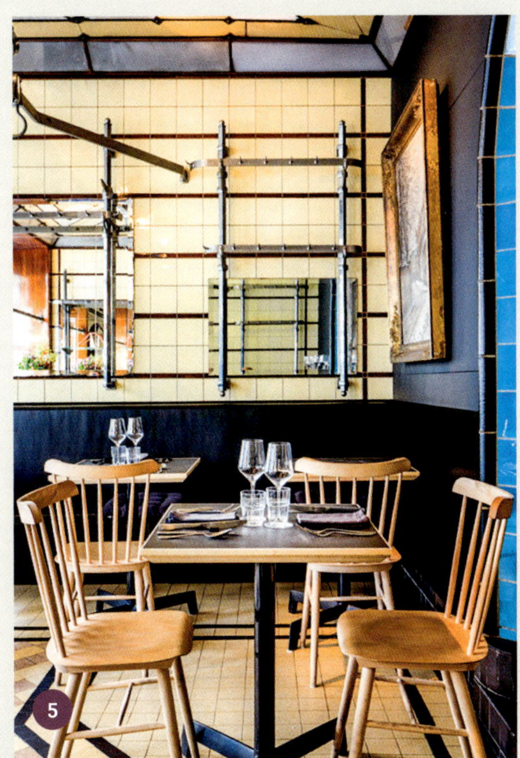

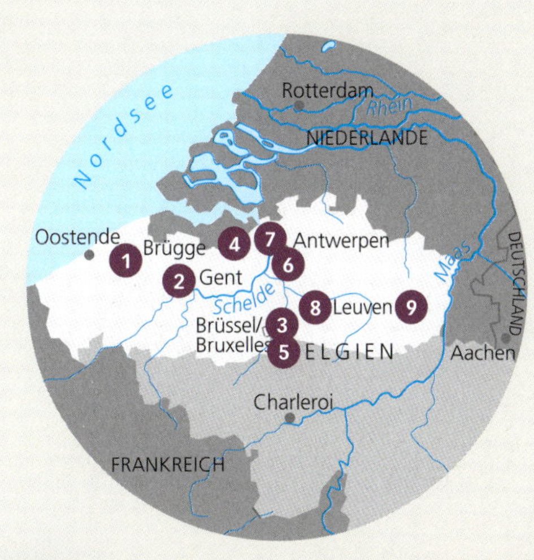

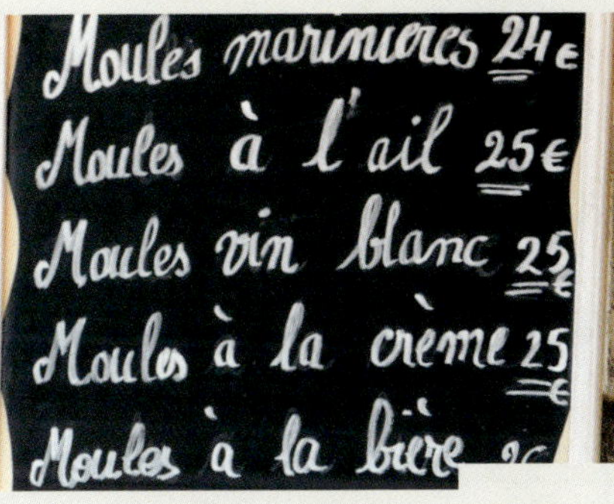

5 La Buvette

Eine ehemalige Metzgerei, von der viele ursprüngliche Elemente noch erhalten sind, mutierte in Brüssel-St-Gilles zu einem Restaurant, dessen Küche sich Frische und Nachhaltigkeit verschrieben hat. Angeboten wird stets ein Fünf-Gänge-Degustationsmenü, das jeden Monat je nach Jahreszeit erneuert wird, und zwar im Tapas-Format, fantasievoll angerichtet wie zum Beispiel der Pulpo natur mit Topinambur, der Ricotta mit Spinat und schwarzem Sesam oder das Ochsenbacken-Ragout mit Knollensellerie.

Chaussée d'Alsemberg 108, 1060 Brüssel-Saint-Gilles, Tel. 02 5 34 13 03, www.la-buvette.be, Di.–Sa. 19.00–23.00 Uhr

6 SELSation

In Hemiksem, einer Vorstadtgemeinde südlich von Antwerpen, hegen der junge Koch Wouter Sels und seine Frau Sandra eine große Leidenschaft für orientalische und vor allem japanische Aromen. Die kulinarische Reise führt durch Frankreich mit Zwischenhalt im Nahen Osten bis nach Japan als Endstation. So kann zu einem Fünf-Gänge-Menü Lachs gehören mit Blumenkohl, Ajitsuke Tamago, Sauerkraut, Buttermilch und Dill. Sandras große Leidenschaft ist darüber hinaus die Auswahl passender Weine zu jedem Menü.

Eikenlaan 36, 2620 Hemiksem, Tel. 0497 53 53 61, https://selsation.be, Mi. bis Sa. ab 19.00 IUhr

7 Grand Café Modeste

An blanken Holztischen vor rauen Backsteinwänden und unter offenem Gebälk wird in dem hohen, lichten Saal dieses schönen Altbaus typisch belgische Küche serviert, oft mit einem Hauch Mittelmeer. Das Angebot reicht von der Tagessuppe mit Käsekroketten bis zum Wildtrio und der Tarte Tatin. Dazu gibt es mehr als ein halbes Dutzend Biersorten vom Fass – also gar nicht so bescheiden, wie der Name des Hauses vermuten lässt.

Wapenstraat 18, 2000 Antwerpen, Tel. 03 2 96 53 68, www.grandcafemodeste.be, tgl. 12.00–14.30, 18.00 bis 22.00, So. durchgehend, Fr./Sa. Dinner & Dance (bis 2.00 Uhr)

8 Essenciel

Niels Brants und Romina Charels konzentrieren sich in der Küche ihres kleinen, 2013 eröffneten Design-Bistros tatsächlich auf das Wesentliche: die Herstellung von Aromen. Jeden Tag denken sich die Köche aufs Neue Überraschendes für die Geschmackspapillen aus – mit Inspirationen aus aller Welt und schöner Struktur. Bei der Komposition der Gerichte geht das junge Team stets von tagesfrischen Produkten aus. 2019 erhielt das Lokal einen Michelin-Stern.

Bondgenotenlaan 114, 3000 Leuven, Tel. 0474 26 18 64, www.essenciel.be, Di.–Fr. 12.00–13.15 u. 19.00 bis 20.15 Uhr, Sa./So./Mo. geschl.

9 Ansoler

Mit zwei Kollegen hat Anne-Sophie Breysem sich im Sommer 2018 in einem ehemaligen Herrenhaus den Traum vom eigenen Restaurant erfüllt. Ihre modernen Kreationen, bei denen sie von Jaume Soler unterstützt wird, zeigen Einflüsse aus der ganzen Welt und kommen auf dem Teller als kleine Kunstwerke mit Blüten, Samen und Brotchips (das Brot wird selbst gebacken) daher, werden in grünen Eiswaffeln oder Reagenzgläsern serviert. Zur Vorspeise gibt es z.B. Forelle mit Kirschen und Macadamia-Nüssen, als Hauptgericht Perlhuhnroulade mit süßem Spitzpaprika und Lamsoor.

Maastrichtersteenweg 41, 3500 Hasselt, Tel. 0492 20 20 08, www.ansoler.com, So./Mo. geschl., Di./Mi. 19.00–20.00, Do.–Sa. 12.00 bis 13.30 u. 19.00–20.00 Uhr

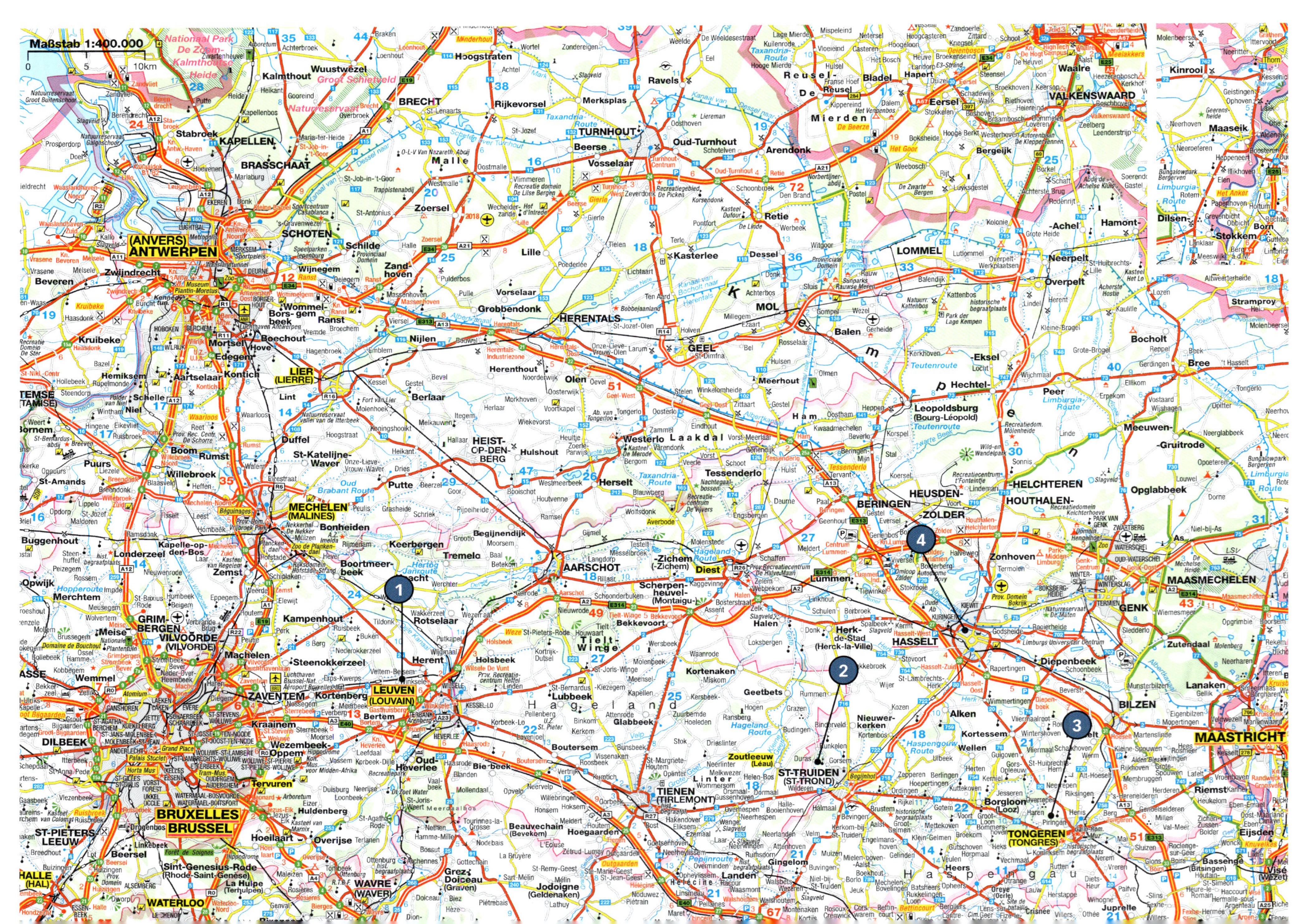
Maßstab 1:400.000
0 5 10km
ANTWERPEN
(ANVERS)
BRUXELLES
BRUSSEL
MECHELEN
(MALINES)
LEUVEN
(LOUVAIN)
LIER
(LIERRE)
TURNHOUT
HERENTALS
GEEL
MOL
AARSCHOT
Diest
HASSELT
GENK
MAASTRICHT
TONGEREN
(TONGRES)
ST-TRUIDEN
(ST-TROND)
TIENEN
(TIRLEMONT)
WAVRE
(WAVER)
WATERLOO
HALLE
(HAL)
VILVOORDE
(VILVORDE)
ZAVENTEM
BERINGEN
HEUSDEN-
ZOLDER
LOMMEL
VALKENSWAARD
BRECHT
KAPELLEN
BRASSCHAAT
SCHOTEN
MAASMECHELEN
BILZEN
Bree
Bocholt
Overpelt
Neerpelt
Hamont-
-Achel
Kinrooi
Maaseik
Lanaken
Tessenderlo
Westerlo
Heist-
op-den-
Berg
Hagelandroute
Haspengouw
1
2
3
4

»WISSENSSCHRITTE«, WEIN UND RÖMERERBE

Mit ihren weitgehend flachen, fruchtbaren, von drei Wasserläufen durchzogenen Landschaften umschließt Flanderns jüngste und zugleich kleinste Provinz die Region um die Hauptstadt Brüssel. Zusammen mit dem Nachbarn Limburg ist Flämisch-Brabant so ein ideales Terrain für Radfahrer.

1 Leuven

Leuven TOPZIEL, die Metropole von Flämisch-Brabant, gibt sich zukunftsorientiert und kosmopolitisch. Bereits im 9. Jh. erstmals erwähnt, entwickelte sich die Siedlung an der Dijle aber trotz ihrer günstigen Lage erst gut zwei Jahrhunderte später zur Blüte. Die erste Stadtmauer stammt aus dieser Zeit; es entstanden erste Kirchen und Klöster. Und die Keimzelle der heutigen Großbrauerei.

SEHENSWERT

Das **Stadhuis** (Rathaus; 1439–1468) am Grote Markt, erbaut nach Brüsseler Vorbild, gilt als eines der schönsten profanen Bauwerke der Spätgotik in Europa. Ein wichtiges Beispiel der Brabanter Gotik ist die **Sint-Pieterskerk** gegenüber. In ihrer Schatzkammer lässt sich »Das letzte Abendmahl« (1464–1468) von Dirk Bouts bewundern. Hinter der bis heute unvollendeten Kirche steht **»Fonske«**; so wurde die Brunnenstatue der »Fons Sapientiae«, der Wissensquelle, »getauft«. Das Symbol der Leuvener Katholischen Universität stellt einen lesenden Studenten dar, der Wissen in sein Haupt gießt. Komplett wiedererbaut wurde am Ostrand des Großen Markts das mittelalterliche Haus **Tafelrond,** ursprünglich Versammlungshaus der Gilden der Rhetoriker und Schützen. Lediglich restauriert wurde indes der von der UNESCO zum Weltkulturerbe erklärte **Groot Begijnhof** (Große Beginenhof) südlich. Seine Gründung geht auf das 13. Jh. zurück, in den Wohnhäusern aus dem 16. und 17. Jh. leben heute vorwiegend Studenten und Gastprofessoren. Die Kollegien verdienen ebenfalls Beachtung: Reine Renaissance spiegelt an der Naamsestraat das stilvolle **Kolleg Van Dale.** Imponierend ist auch die **Universitätsbibliothek** östlich am Ladeuzeplein, einem der schönsten Plätze der Stadt. Den intimeren **Oude Markt** (Alten Marktplatz) nahe dem Stadhuis säumen Kneipen, in denen sich die Studenten drängen. Gleiches gilt für die **Muntstraat** in der Nähe, an die der Hof der **Hausbrauerei Domus** grenzt (www.domusleuven.be). Der »Kruidtuin«, der **Hortus Botanicus Lovaniensis,** wurde als Kräuter- und Heilpflanzengarten bereits 1738 angelegt (Kapucijnenvoer 30, tgl. 8.00/9.00–17.00/20.00 Uhr).

MUSEUM

Rubenshaus-Architekt Stéphane Beel integrierte für das **M** zwei historische Gebäude in einen Neubau. Nun zeigt das Museum eine Kollektion von Skulpturen des 15./16. Jh., Malerei des 18./19. Jh. und zeitgenössische Kunst (Leopold Vanderkelenstraat 28, www.mleuven.be, Fr.–Di. 11.00 –18.00, Do. bis 22.00 Uhr).

AKTIVITÄTEN

Kanu- und Kajak-Fahrten auf der Dijle führt Leuven Leisure ab Korbeek-Dijle durch (www.leuvenleisure.com). Spaß und Spiel bietet die **Freizeitdomäne Kessel-Lo** (Holsbeekses-

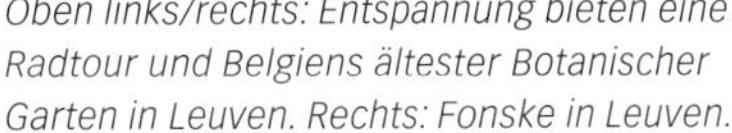

Oben links/rechts: Entspannung bieten eine Radtour und Belgiens ältester Botanischer Garten in Leuven. Rechts: Fonske in Leuven.

Tipp

Drei Brauereien

Bier spielte in der Geschichte von Leuven schon immer eine große Rolle. Mitte des 18. Jahrhunderts gab es in der Stadt 42 Brauereien. Hier waren die Brauer großzügig mit ihrem Getreide. Und erzeugten so ein gehaltvolles Bier mit mildem Geschmack, das weit über die Stadtmauern hinaus einen Namen hatte. Heute können in Leuven drei Brauereien besichtigt werden: die Brauerei **Stella Artois** ist Teil des größten Brauereikonzerns der Welt, AB InBev (Aarschotsesteenweg 20, www.stellaartois.com), die Abteibrauerei **Braxatorium Parcensis** (Abdij van Park 7, https://braxatoriumparcensis.be), die seit 2019 wieder in Betrieb ist, und die Brauerei **De Coureur**, der jüngste Brauereinachwuchs in Leuven (Borstelsstraat 20, www.brouwerijdecoureur.be).

teenweg 55, www.vlaamsbrabant.be, Sommer 7.30-21.00, Winter bis 19.00 Uhr) ebenso wie der **Zoet Waterpark** in Oud-Heverlee (www.oud-heverlee.be/product/353/zoet-water) Kindern und Jugendlichen.

VERANSTALTUNGEN

Bei den »**Beleuvenissen**« gastieren an drei Freitagen im Juli an vielen Stellen der Stadt Interpreten unterschiedlicher Musikrichtungen. Alle Konzerte sind open air und gratis, Termine/Infos über das Fremdenverkehrsamt.

HOTEL/RESTAURANT

Im einstigen Pfarrhaus der St. Micheals-Kirche sind die sechs individuell-gemütlichen Zimmer des **€ € / € € € B &B De Pastorij** untergebracht (St- Michielsstraat 5, www.depastorij.com). Bart Tastenhoye serviert im **€ € / € € € Taste** (Naamsestraat 62, www.leuventaste.be) einen gekonnten Mix aus Klassik und Moderne, vor allem auf Fischbasis

EINKAUFEN

Bekannte Marken und kleinere Labels findet man in der **Bondgenotenlaan** zwischen Bahnhof und Grote Markt. Edler geht es in Sachen Bekleidung und Design am Beginn der **Mechelsestraat** nördlich des Grote Markt zu.

UMGEBUNG

Inmitten einer Wald- und Wiesenlandschaft liegt das **Kasteel van Horst** in St. Pieters-Rode (ca. 13 km nordöstl., www.herita.be/monumenten/kasteel-van-horst). Das Witloof-Museum in **Kampenhout** (16 km nordwestl.) informiert über den Chicorée. Einen reizvollen Stadtkern hat die ehemalige Oranierresidenz **Diest,** von der aus es nicht weit zur **Abdij van Tongerlo** (20 km, mit Gästezimmern) ist, zur **Abdij Averbode** (5 km) mit der Barockkirche und nach **Scherpenheuvel** (6 km), Belgiens bedeutendsten Wallfahrtsort. Rund 18 km nordöstl. von Leuven liegt **Aarschot** mit dem Beginenhof und der Liebfrauenkirche.

INFORMATION

Tourismus Leuven, Naamsestraat 3, 3000 Leuven, Tel. 016 20 30 20, www.visitleuven.be/de

❷ Sint-Truiden

Mitte des 7. Jh. gründete der hl. Trudo zwischen Leuven und Tongeren ein Kloster, aus dem der heutige Hauptort des Haspengaus erwuchs. Die einstige Tuchhandelsstadt, umgeben von einer Obstbaumlandschaft, spiegelt bis heute Wohlstand und religiöse Tradition.

SEHENSWERT

Wie ein offener Ring wirkt der **Grote Markt** – der zweitgrößte von ganz Belgien nach Sint-Niklaas in Ostflandern. Das klassizistische **Stadhuis** wurde an den Belfried (1606) angebaut; ganz nah erhebt sich die gotische **Onze-Lieve-Vrouwekerk** (in der Schatzkammer der Reliquienschrein des hl. Trudo), während am Nordende des Markts der mächtige Kirchturm der **Abdij** aufragt. Sie war einst eine der größten Klosteranlagen der Niederlande; die Gebäude stammen aber vorwiegend aus dem 18. und 19. Jh. Eines von ihnen bieherbergt das Stadtmuseum. Um 1730 entstand die imponierende **Minderbroederkerk;** aus der Frührenaissance stammt der Turm der **Sint-Maartenkerk.** Gegenüber vom Beginenhof von Sint-Agnes steht im **Studio Festraets** die größte astronomische Uhr der Welt.

Multimedial erzählt das Zuckermuseum in Tienen von der Geschichte des Rohstoffs, von den Saisonarbeitern und der Ernte der Zuckerrüben und ihrer vielseitigen Verwendung.

MUSEUM

Das **Museum De Mindere** dokumentiert die Tradition des in Sint-Truiden ansässigen Ordens (Capucienessenstraat 1–3, www.demindere.be, Di.–Sa. 10.00–12.30, 13.00–17.00, So./Fei. 14.00 bis 17.00 Uhr).

UMGEBUNG

Das kleine **Zoutleeuw** (etwa 10 km westl.), eine der sieben freien Städte des Herzogtums Brabant, ist bekannt für seine Tuchindustrie. Vom Bildersturm des 16. Jh.s ebenso verschont wie von französischer Besatzung, zeugt das bauliche Erbe des mit Klöstern reich bedachten Städtchens noch immer von seiner einst bedeutenden Rolle. Sint-Leonardus am Grote Markt (13.–16. Jh.) gilt als einzige Kirche Belgiens mit unversehrtem spätgotischem Interieur. **Tienen** (20 km westl.) wird gern als »süßeste Stadt« von Flandern bezeichnet; hier steht u. a. die größte Zuckerwürfelfabrik von Belgien und am Grote Markt 6 ein Zuckermuseum (Suikermuseum, derzeit geschl.).

INFORMATION

Toerisme Sint-Truiden, Grote Markt 44, 3800 Sint-Truiden, Tel. 011 70 18 18, www.visitsinttruiden.be

❸ Tongeren

»De eerste Stad van België« – mit diesem Slogan wirbt die Kleinstadt am Südostrand des Haspengaus. Unter dem Namen Atuatuca Tungrorum wurde sie circa 10 v. Chr. als römisches Feldlager an der Straße von Köln nach Reims gegründet.

SEHENSWERT

Nahezu täglich, so heißt es, finden die Archäologen neue Zeugnisse vergangener Jahrhunderte im Herzen der Stadt. Das schlägt am **Grote Markt,** der von der gotischen **Onze-Lieve-Vrouwebasiliek** (1240–1509) überragt wird (mit Schatzkammer) und an dem sich Restaurants und Kaffeehäuser drängen. Neben der Basilika sind Überreste der beiden **römischen Stadtmauern** zu sehen (2. u. 4. Jh.) und eine **Statue des Ambiorix,** des Eburonenfürsten, der 54 v. Chr. gegen die Römer kämpfte und eineinhalb Legionen besiegte. Über die Repenstraat erreicht man den **Beginenhof** mit seiner Kirche (13. Jh.). Bergab gelangt man zur **Moerenport,** dem einzig erhaltenen mittelalterlichen Stadttor. Der Mauergürtel aus dem 13. Jh. ist fast komplett erhalten.

MUSEUM

Trefflich illustriert die Zeit der Römer und der keltischen Gegenwehr das **Provinciaal Gallo-Romeins-Museum** (Gallorömisches Museum, Kielenstraat 15, www.galloromeinsmuseum.be, Di.–Fr. 9.00–17.00, Sa./So. 10.00–18.00 Uhr).

VERANSTALTUNGEN

Antikes und Altes jeglicher Art bieten die Händler des allsonntäglichen großen **Trödelmarkts** an (So. 7.00–13.00 Uhr). Alle sieben Jahre wird in Belgiens ältester Stadt eine große **Marienprozession** abgehalten (wieder 2030, www.kroningsfeesten.be).

UMGEBUNG

Etwa 10 km nordöstlich von Tongeren gründete der Deutsche Orden Anfang des 13. Jh.s seine **Großkomturei Alden Biesen.** Ca. 10 km östlich, bei **Riemst,** liegt das Weingut Genoels-Elderen (Kasteelstraat 9, www.wijnkasteel.be), wo man probieren kann, was die Limburger

»SIE WERDEN IHN NICHT ZÄHMEN, SOLANGE EIN FLAME LEBT, SOLANGE DER LÖWE KLAUEN HAT, SOLANGE ER ZÄHNE HAT.«

Refrain der flämischen Nationalhymne

aus dem römischen Erbe der Traubenkultur gemacht haben. Rund 10 km westlich sollten sich Rosenliebhaber keinesfalls das **Kasteel Hex** (18. Jh.) entgehen lassen (www.hex.be).

INFORMATION
Toerisme Tongeren, Via Julianus 2, 3700 Tongeren, Tel. 012 80 00 70, www.toerismetongeren.be

 Hasselt

»Hoofdstad van de smaak«, Hauptstadt des Geschmacks, nennt sich Hasselt, das sich zur trendigen kleinen Schwester der Mode- und Designmetropole Antwerpen entwickelt hat. Im Mittelalter Marktort der Grafen von Loon, blühende Tuchmacherstadt und seit dem 19. Jh. Hauptstadt der Provinz Limburg, glänzt Hasselt kaum mit historischen Sehenswürdigkeiten, nimmt aber durch seine typisch flämische Atmosphäre ein.

SEHENSWERT
Im Stadtkern finden sich sowohl die **Onze-Lieve-Vrouwekerk** (18. Jh.) als auch die **Sint-Quintinuskathedraal** (15./16. Jh.), deren Turm (mit 47-teiligem Glockenspiel) den von Terrassencafés gesäumten **Groten Markt** überragt. Am Havemarkt, in der Aldestraat und der Lombaardstraat sammeln sich Modeläden.

MUSEEN
Die Fußgängerzone Hoogstraat/Demerstraat führt zum **Modemuseum** (Gasthuisstraat 11, www.modemuseumhasselt.be). Wer sich auf der Höhe der Minderbroederstraat rechts hält, gelangt vorher zum **Nationaal Jenevermuseum** (Witte Nonnenstraat 19, www.jenevermuseum.be, beide Di.–So. 10.00–17.00 Uhr).

VERANSTALTUNGEN
Jedes Jahr in der zweiten Oktoberhälfte feiert Hasselt sein **Genever-Fest.** Nur alle sieben Jahre wird im August die **Virga-Jesse-Prozession** zu Ehren der Jungfrau Maria abgehalten (www.virgajessefeesten.be, nächste Termine 2024, 2031).

UMGEBUNG
Genk (ca. 12 km nördlich) war fast 200 Jahre geprägt vom Steinkohlebergbau; mit dem Europlanetarium besitzt es heute eine der modernsten Einrichtungen in Sachen Himmelskunde im Erholungsgebiet **Kattenvennen.** Zu Genk gehört auch die **Domein Bokrijk** (8 km nordöstl.) mit ihrem gut 5 km² großen Freilichtmuseum (mehr als 120 Gebäude); der **Nationalpark Hoge Kempen** liegt ca. 12 km nördlich. Etwa 20 km Richtung Nordosten liegt **Maaseik,** Geburtsort der Brüder Hubert und Jan van Eyck; ihrem Schaffen ist eine Ausstellung im Minderbroedersklooster gewidmet.

INFORMATION
Toerisme Hasselt, Maastrichterstr. 59, 3500 Hasselt, Tel. 011 23 95 40, www.visithasselt.be

GESCHMACKVOLL RADELN

Eine Region auf dem Fahrrad entdecken und genießen: Limburg hat sich dazu etwas Besonderes ausgedacht und eine köstliche Rundtour für Radfahrer ausgearbeitet. Erfrischende Biere, hausgemachtes Eis und Menüs mit lokalen Produkten locken an der Strecke.

Ein Türmchen am Rad- und Reiterhofcafé Breugelhoeve zeigt uns, dass wir hier richtig sind: Vor uns befindet sich ein »fietsinrijpunt«, eine Radweg-Anfahrtsstelle. Also rauf auf die grünen 7-Gang-Fahrräder, die man direkt neben dem großzügigen Parkplatz mieten kann. Eine Streckenschleife von rund 40 Kilometer haben wir uns vorgenommen – mit vielen genussvollen Zwischenstopps. Als Erstes geht es nach Bocholt, wo aus der 1758 gegründeten Brauerei der Familie Martens eines der größten Brauereimuseen Europas entstanden ist. Natürlich gibt es eine Kostprobe beim Besuch. Gen Süden lockt die handwerkliche Kaffeerösterei Gulden Tas' in Bree – und nur wenige Radminuten südwestlich, auf dem Weg nach Opitter, liegen der Kräutergarten Stukkenheidehof, dessen Besitzerin nach der Tour um die Beete köstlichen Pfefferkuchen reicht, und der Milchviehbetrieb 't Rorenijsje.

Dann steuern wir die Brasserie De Geus an, an der Grenze zwischen Bree und Oudsbergen, die eine große Auswahl an köstlichen Gerichten zu bieten hat. Die letzten 13 Tourkilometer strampeln wir schließlich auf direktem Weg zurück zu unserem Ausgangspunkt Breugelhoeve – ohne unterwegs nochmals der Verführung eines Picknickplatzes zu erliegen.

Fahrräder können von April bis Ende September zahlreichen Limburger Radservicestationen gemietet werden (pro Tag ab 10 €, E-Bikes ab 25 €)

Alle Fahrradrouten in Limburg sind durch nummerierte Knotenpunkte verbunden, die an Radwegekreuzungen durch ein rechteckiges blaues Schild angezeigt werden. Detaillierte Fahrradkarten sind erhältlich unter: www.visitlimburg.be

DE KONINCK
DEN BENGEL
DE KONINCK

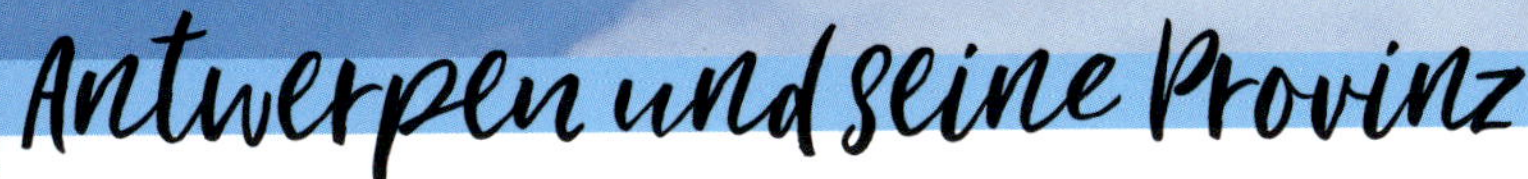

FLANDERNS TOR ZUR WELT

Hafenflair, historische Gildehäuser, eine internationale Modeszene und hochkarätige Kunst – Antwerpen ist die heimliche Hauptstadt Belgiens, steht für Vielfalt und Innovation. Beständigkeit atmet ihre Umgebung: Heidelandschaften, Kiefernwälder, Moore und Binnendünen. Jahrhundertealte Abteien und hübsche Städtchen setzen hier reizvolle Akzente.

Den Grote Markt in Antwerpen rahmen die Häuser der einstigen Zünfte – der Schützen wie der Krämer und der Zimmerleute.

Die Onze-Lieve-Vrouwekathedraal prägt Antwerpens Stadtbild.
Peter Paul Rubens hat für sie zwei Meisterwerke gemalt.

Origineller Jugendstil in Antwerpen: das »Haus der Fünf Kontinente« von 1901

Der Botanische Garten in Antwerpen hat nicht nur einen schönen Baumbestand, sondern er ist auch reich an den verschiedensten Kräutern.

»CUT IN ANTWERP« STEHT ALS INTERNATIONALES QUALITÄTSSIEGEL IMMER NOCH WELTWEIT FÜR HÖCHSTE VOLLKOMMENHEIT VON DIAMANTEN.

Dynamisch, weltoffen und voller Gegensätze – Antwerpen merkt man deutlich an, dass es einen der weltweit größten Häfen birgt. Dennoch fasziniert die Stadt erst auf den zweiten Blick. Rau und sperrig wirkt sie; lange Jahre hatte sie sich abgewandt von ihrem Fluss. Nun erwacht sie nicht nur an seinen Ufern, sondern auch an vielen anderen Ecken zu neuem Leben – stets jedoch im Bewusstsein ihrer Geschichte, die vom galloromanischen Ursprung über die wirtschaftliche Blüte im Zeichen Brabants und das »Goldene Zeitalter« des 16. Jahrhunderts reicht bis zur Ernennung zur Kulturhauptstadt Europas 1993. Die erste Begegnung macht sie Gästen nicht leicht – aber bald erliegen sie ihrem energiesprühenden Zauber.

GROSSES DORF IM WANDEL

Ein großes Dorf, sagen die Antwerpener, sei ihre Stadt, groß genug, um alles zu bieten, aber doch klein genug, dass man überall zu Fuß hingehen könne. Tatsächlich sind es nur knapp vier Kilometer von den ersten Hafendocks bis zum Koning Albertpark im Süden der Stadt. Und von den Scheldekais bis zum Hauptbahnhof spaziert man in gerade mal 25 Minuten. Mehr als hundert Nationalitäten leben in diesem überschaubaren Rahmen – ein Großteil davon sind Muslime. So viel Fremdes in ihrer katholischen Stadt manche nicht dulden, was sich bei Wahlen in hohen Ergebnissen für die flämischen Nationalisten zeigt.

Glücklicherweise ist der Alltag der Stadt jedoch vorwiegend von Liberalität, Lebenslust und studentischer Lockerheit geprägt. Zudem schickt sich Antwerpen an, sein Bild in jeglicher Hinsicht aufzupolieren. Zahlreiche Projekte zur Stadterneuerung wurden bereits realisiert – vom neuen Yachthafen am »Inselchen« ('t Eilandje), dem restaurierten Festsaal im Zentrum und dem Justizpalast von Richard Rogers über die Erweiterung des Jugendstil-Bahnhofs und Zaha Hadids Port House im Hafen bis hin zur Komplettierung des Autobahnrings mit einer großen Brücke im Norden und der Wiederanlage der Scheldekais. Vielerorts hat man nun erneut freien Durchgang zum Fluss. 2021 wurde auch Antwerpens ältestes Bauwerk, Het Steen, wiedereröffnet: als Besucherzentrum der Stadt und Terminal für Kreuzfahrtschiffe. Zudem glänzt Antwerpen mit neuen Museen. So widmet sich seit Mai 2018 das DIVA Museum in einem historischen Stadtpalais ausführlich dem Thema Diamanten. Das Museum aan de Stroom (MAS) bündelt u. a. die Sammlungen des Schifffahrtsmuseums sowie die seefahrtrelevanten Objekte des Ethnografischen Museums.

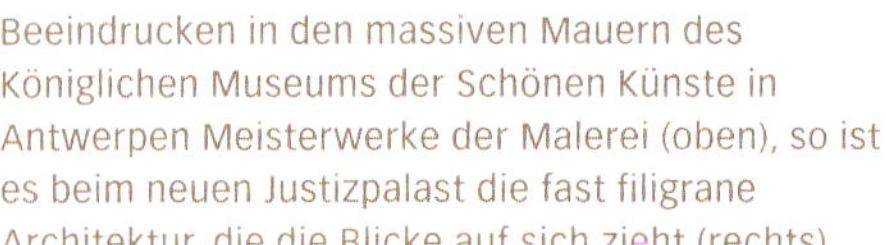

Beeindrucken in den massiven Mauern des Königlichen Museums der Schönen Künste in Antwerpen Meisterwerke der Malerei (oben), so ist es beim neuen Justizpalast die fast filigrane Architektur, die die Blicke auf sich zieht (rechts).

Im Haus Plantin-Moretus in Antwerpen steht die einzige noch erhaltene Druckerei aus der Zeit der Renaissance.

Das Modemuseum ist trotz seines Themas eher zurückhaltend gestaltet.

Special

Diamanten

Hochkarätige Sternensplitter

Als »Sternensplitter, die vom Himmel fallen«, erklärten sich die alten Griechen bildhaft das Phänomen der Diamanten.
Antwerpen spielt bereits seit dem 15. Jahrhundert eine wichtige Rolle für den Handel und die Bearbeitung der wertvollen Steine. Heute ist die Diamantindustrie, an der gut 25 000 Arbeitsplätze hängen, nach dem Hafen der zweitwichtigste wirtschaftliche Pfeiler der Scheldemetropole. Vier Diamantenbörsen sind in Antwerpen aktiv. Rund 60 Prozent aller Rohdiamanten und 40 Prozent der weltweit geförderten Industriediamanten nehmen irgendwann einmal den Weg über das Antwerpener Diamantenviertel. »Cut in Antwerp« steht als internationales Qualitätssiegel immer noch weltweit für höchste Vollkommenheit. Um bis zu 100 000 Euro kann der Antwerpener Schliff den Wert eines ohnehin schon kostbaren Steins steigern.

Unverbrüchlich: »A girl's best friend« ...

Ungefähr 1500 Diamantfirmen haben in dem kleinen, von Hunderten Kameras überwachten Areal in der Nähe des Hauptbahnhofs ihr Domizil. Wenn nicht schon in einem dieser traditionell von jüdischen Familien geführten, nun oft in den Händen von Indern befindlichen Unternehmen, so erfahren Wissbegierige spätestens im neuen Diamantenmuseum DIVA oder über die App »Antwerp loves Diamonds« viele Details.

Das Auswanderer-Museum wurde in den ehemaligen, nun denkmalgeschützten Gebäuden der »Red Star Line« realisiert, auf deren Schiffen zwischen 1873 und 1934 mehr als drei Millionen Menschen Europa verließen. Die Ersten von ihnen waren verarmte Flachsarbeiter und Bauern aus Flandern, die in Antwerpen in Bettlerkolonien lebten und teilweise kriminell geworden waren; das Ticket für die Überfahrt zahlte die Stadt. Später schwemmten die Pogrome in Osteuropa Tausende von Juden in den Hafen Antwerpens, von wo sie via New York aufbrachen in ein neues Leben.

LANDZUNGE UND SÜSSE HÄNDE

Antwerpens berühmteste Süßigkeit hat die Gestalt einer Hand. Traditionell handelt es sich bei den »Antwerpse Handjes«, die Konditor Jos Hakker 1934 im Rahmen eines Kollegenwettstreits erfand, um mürbe Butter-Mandel-Plätzchen. Ihre Existenz verdankt sich der Legende um den Namen der Stadt. Darin heißt es, dass die Schelde auf Höhe von Antwerpen zu Beginn unserer Zeitrechnung von einem Riesen beherrscht worden sei. Dieser Gigant namens Druon Antigon verlangte von jedem vorbeifahrenden Schiffer einen hohen Zoll. Wer nicht zahlen wollte, dem wurde die Hand abgehackt. Erst als der unerschrockene

Antwerpens wappengeschmücktes Stadhuis, ein schöner Renaissancebau, begrenzt den Grote Markt an der Westseite.

Noch ist Platz im kronleuchtergeschmückten Café des Bourla-Theaters in Antwerpen.

An den Wänden des Wohnzimmers im Rubenshuis hängen Gemälde von der Hand des Künstlers.

römische Soldat Silvius Brabo den Riesen tötete und ihm seinerseits die Hand abhackte, die er in die Schelde warf, war es mit der grausamen Zollgebühr vorbei. Und die Siedlung, die sich am Flussufer entwickelte, hieß fortan »Handwerpen«.

Bis weit ins 17. Jahrhundert blieb diese Schreibweise in vielen Dokumenten geläufig. Und auch wenn die Antwerpener als aufgeklärte Bürger später nicht mehr unbedingt an Sagen und Legenden glaubten, so hielten sie ihren »Befreier« Brabo doch in Ehren und setzten ihm sogar ein Denkmal mitten in der Stadt: In Bronze gegossen, ist sein Standbild mit der abgeschlagenen Hand des Riesen heute auf dem Grote Markt zu bewundern. Der Antwerpener Bildhauer Jef Lambeaux hatte dem legendären Römer als Brunnenfigur 1887 Gestalt gegeben.

ANTWERPEN HAT VIELEN KÜNSTLERN BESTE ARBEITSBEDINGUNGEN GEBOTEN.

Tatsächlich rührt der Name Antwerpen aber wohl von der Bezeichnung »aan de werp« her, was so viel bedeutet wie »an der Warft«. Die damit gemeinte »angeworfene« Landzunge, die auf der Höhe der Burg Steen in die Schelde ragte, verschwand erst im 19. Jahrhundert mit der Begradigung der Uferkais.

Vor dem Steen, der Burg Antwerpens, steht der »Lange Wapper«, ein anderer Riese aus Antwerpens Legenden.

WO NICHT NUR RUBENS KUNSTWERKE SCHUF

Vater und Sohn Bruegel, Anthonis van Dyck, Jakob Jordaens, David Teniers und Frans Hals, die Bildhauerfamilien Quellinus und Verbruggen, die Drucker Plantin und Moretus, der »Hafenmaler« Eugeen Van Mieghem – Antwerpen hat viele Künstler hervorgebracht oder ihnen zumindest beste Arbeitsbedingungen geboten. Kaum einer hat freilich so viele Spuren im Stadtbild hinterlassen wie der barocke Malerfürst Peter Paul Rubens (1577–1640), der etwa 1500 Bilder hinterlassen hat. 32 Jahre lebte und arbeitete er

Kanäle durchziehen das Turnhouter Kempenland. Bei Dessel trifft der Kanal von Bocholt auf die Anbindung zum Albertkanal.

Der Gasthof an der Prämonstratenserabtei Postel lädt mit Bier, Brot und Käse aus der Abtei zur Einkehr.

Auf dem Grote Markt von Mechelen steht gegenüber der Rombouts-Kathedrale das Stadhuis. Es setzt sich aus zwei Gebäuden zusammen: dem Sitz des Großen Rats links und der Lakenhalle rechts.

in der Scheldestadt. In der Kathedrale und anderen Kirchen sind seine Werke zu bewundern, in Museen und im Rubenshaus, seinem ehemaligen Wohnsitz, den er sich 1610 im Stil italienischer Renaissance- Palazzi bauen ließ.

LUKRATIVE AUFTRÄGE

Antwerpens mehrfach amtierender Bürgermeister Nicolaas Rockox wird rasch der wichtigste Mäzen des Künstlers, der 1608 in Sorge um die Gesundheit der Mutter aus Mantua zurückgekehrt war. Rockox' Aufträge »Die Anbetung der Heiligen Drei Könige« für das Antwerpener Rathaus und unmittelbar darauf »Samson und Delila« für das private Wohnhaus verhalfen Rubens dazu, sein Können in kürzester Zeit bekannt zu machen und weitere lukrative Aufträge zu erhalten. Das große Atelier im Malerhaus – nur die Porträts, Zeichnungen und kleineren Gemälde entstehen im' Privatatelier – erhält rasch Zulauf von Lehrlingen. Einer der Meisterschüler ist der hochbegabte Sohn eines reichen Antwerpeners Textilkaufmanns: Anthonis van Dyck. Mehr als 25 000 Werke entstehen im Lauf der Zeit in Rubens' großem Atelier; der Künstler verlangt hohe Preise für die großformatigen Auftragsmalereien. Die Käufer sind wohlbestallte Bürger und Fürsten, auch aus England, Frankreich, Spanien und Bayern.

FROMME HÖFE

Ein gewisser Lambert de Bègue, Priester in Lüttich, gilt als Gründer und Namensgeber der vor allem in Flandern verbreiteten Beginenhöfe. Der Beginen-Orden entstand bereits gegen Ende des 12. Jahrhunderts; quasi als Antwort auf die überfüllten Klöster, denn unverheiratete Frauen hatten damals nur wenig andere Überlebensmöglichkeiten als in diesen frommen Institutionen.

Die Grundidee war: Wohlhabende, aber auch weniger begüterte Frauen, junge Mädchen und Witwen bilden eine religiöse, eigenverantwortliche Gemeinschaft. Auf freiwilliger Basis leben sie mit- und füreinander, widmen sich der Armen- und Krankenpflege, der Erziehung von Waisen und später auch der Seelsorge. Im Gegensatz zu Nonnen mussten Beginen kein Gelübde ablegen und konnten jederzeit aus der Gemeinschaft austreten. Keuschheit war allerdings Pflicht.

VON DER UNESCO GEADELT

Die UNESCO hat 13 flämische Beginenhöfe in Belgien in ihre Liste des Weltkulturerbes aufgenommen. In der Provinz Flandern finden sich allein drei davon: in Lier, in Turnhout und der Große Beginenhof von Mechelen. Gleiches gilt für die Belfriede, die hohen, schlanken, typisch flämischen Glockentürme, errichtet von den Städten oder Gilden als Zeichen weltlicher Macht. Um Antwerpen prägen sie die Landschaft ebenso wie einige jahrhundertealte Abteien: jene von Tongerlo und Postel im satten Grün des Kempenlands wie die nicht nur Bierfreunden bekannte, seit 1836 bestehende Trappistenabtei von Westmalle.

BELFRIEDE UND EINIGE ABTEIEN PRÄGEN DIE LANDSCHAFT UM ANTWERPEN.

Sprachenstreit

EIN GRABEN ZWISCHEN STRAAT UND RUE

Soll jede Volksgruppe auch in offiziellen Belangen ihre eigene Sprache haben? Seit Jahrzehnten schwelt in Belgien der Sprachenstreit – als Ausdruck tieferer historisch begründeter Konflikte.

Europa ist vereint, doch im Mitgliedsstaat Belgien schwelt ein tiefer Zwist: Viele Flamen wünschen sich einen eigenständigen Staat.

Dit is wat we delen« (»Dies ist, was wir teilen«). Unter diesem Motto traten im Herbst 2016 nicht etwa Belgiens Flamen und Wallonen gemeinsam als Ehrengast der Frankfurter Buchmesse auf. Sondern Flandern und die Niederlande. Denn beide sprechen (fast) eine gemeinsame Sprache. Belgien hingegen ist seit Langem schon linguistisch gespalten. Nachdem am 22. Mai 1878 in dem bis dahin offiziell rein französischsprachigen Land ein Gesetz erlassen worden war, welches es den Bewohnern der vier Nordprovinzen sowie der Arrondissements Louvain/Leuven und Brüssel erlaubte, Französisch und Flämisch gleichberechtigt zu nutzen, etablierte man am 31. Juli 1921 mit einem weiteren Dekret eine offizielle Sprachgrenze. Die nördlichen Kommunen waren damit verpflichtet, nur noch Flämisch zu sprechen, die südlichen nur Französisch.

Im offiziell zweisprachigen Brüssel ist vieles auch doppelt beschildert – anders als in rein flämischen oder wallonischen Städten.

FLUCHT IN DIE PIKTOGRAMME

Seither schwelt der Sprachenstreit. Und treibt mitunter kuriose Blüten. Im flämischen 34 000-Seelen-Städtchen Menen etwa keimte die Idee, dass Beamte nur noch in Zeichensprache antworten, wenn ein Mitbürger sie auf Französisch anspricht. Menen liegt direkt an der Grenze zu Frankreich, viele seiner Bürger beherrschen, so heißt es, kein Niederländisch. Man brauche strikte Regeln, um sie am Französischsprechen zu hindern und die Französisierung der Gemeinde zu verhindern. So sollten auch französischsprachige Schilder in der Kommune durch Piktogramme ersetzt werden.

In Sint Joris Weert, das ebenfalls direkt auf der Sprachgrenze liegt, sieht man das Thema offenbar etwas lockerer. Flamen und Wallonen gehen hier seit Langem schon Ehebünde miteinander ein, gründen Familien. Sie sprechen im Alltag sowohl Flämisch als auch Französisch. Die Straße, die über den Sprach-»Graben« führt, hat allerdings zwei ganz unterschiedliche Namen. Auf der einen Seite heißt sie Roodse Straat, auf der anderen Rue Weert Saint Georges.

In Brüssel funktioniert der Alltag in der Regel multilingual. Ansagen am Bahnsteig werden oft in vier Sprachen gemacht. In der U-Bahn leuchten die Haltestellen auf dem Display abwechselnd in Niederländisch und Französisch auf.

IM SPANNUNGSFELD

Der Sprachenstreit, so heißt es, zeige, wie spannungsgeladen das Verhältnis zwischen der flämischen und wallonischen Bevölkerung in Belgien nach wie vor ist. Und eigentlich gehe es ja um viel mehr: Die Flamen fordern Revanche für vergangenes Unrecht, die frankophonen Belgier hingegen wehren sich gegen einen gewissen Verlust ihres Einflusses. Denn einst war die Oberschicht frankophon. Die einst ärmeren niederländischen Provinzen, die in wirtschaftlicher Hinsicht aufholten, forderten politische und kulturelle Autonomie innerhalb Belgiens. Die Sprache dient in diesem Zusammenhang als Waffe zur Verteidigung der Kultur der einzelnen Bevölkerungsgruppen. Ein gemeinsames Auftreten von Flandern und den Niederlanden bei der Buchmesse ist der Versöhnung von Flamen und Wallonen dabei wohl kaum dienlich.

Fakten

Flamen & Wallonen

Von den ca. 11,6 Millionen Belgiern leben ca. 6,6 Millionen in Flandern, 3,6 Millionen in Wallonien (und 1,2 Millionen in Brüssel). In der Medienlandschaft spiegeln sich die Sprachgebiete, u. a. in den öffentlichen Rundfunk- und Fernsehsendern (VRT – Vlaamse Radio en Televisie, RTBF – Radio Télévision Belge de la Communauté Française sowie BRF – Belgischer Rundfunk), den privaten Fernsehkanälen wie auch der Presse, die flämisch, frankophon und deutsch (die 3. Sprache Belgiens) erscheint.

ANTWERPEN
Maßstab 1:12.850
0
300m
Schelde
Maßstab 1:320.000
0
3
6km
(ANVERS) ANTWERPEN
MECHELEN (MALINES)
LIER (LIERRE)
TURNHOUT
HERENTALS
GEEL
MOL

STILLE LANDSCHAFTEN UND KLÖSTERLICHES BIER

Grün, viel Grün, dazu ein wenig Purpur, Gold und sattes Braun – die Provinz Antwerpen zeigt sich als facettenreiches Gebilde. Mit Landschafts- und Freizeitparks, Rad- und Wanderwegen bildet sie einen ruhigen Kontrast zur umtriebigen Scheldemetropole – die sich manchmal auch still gibt.

1 – 20 Antwerpen

Antwerpen TOPZIEL ist avantgardistisch und doch an Werten orientiert. Im 8. Jh. erstmals urkundlich erwähnt, schöpft die Scheldemetropole ihre lebensfrohe Energie bis heute aus Gegensätzen.

SEHENSWERT

Bauliche Highlights im Herzen der Altstadt sind der 1 **Grote Markt** mit seinen Gildehäusern aus dem 16. und 17. Jh. sowie die gotische 2 **Onze-Lieve-Vrouwekathedraal** (Liebfrauenkathedale), in der u. a. Rubens »Kreuzabnahme« zu sehen ist. Auf dem Weg zur gotischen, barock ausgestatteten 10 **Sint-Jakobskerk,** die das Grab des Künstlers birgt, kann man das 3 **Rockoxhuis,** das Domizil seines Freundes und Förderers, die 6 **Handelsbörse** (1531), das 7 **Königliche Palais** sowie den restaurierten 9 **Stadsfeestzaal** (Städtischen Festsaal) anschauen.

Durch das Diamantenviertel im Osten gelangt man zum prächtigen 11 **Hauptbahnhof Antwerpen Centraal** (1895–1905), hinter dem gleich das Gelände des **Zoos** beginnt. Südlich erstreckt sich das jüdische Viertel. Jenseits der Bahngleise in Richtung Südosten liegt das 12 **Art-déco-Viertel Zurenborg.**

Im Südwesten grenzt direkt an den Antwerpener Ring der 13 **Middelheim Park** mit mehr als 200 Skulpturen im Freien. Nach dem Muster eines Kompasses sind die Straßen im trendigen 14 **Viertel Het Zuid** zwischen Gerichtshof und St. Michaeliskai angelegt. Viele Galerien und eine Kneipenszene finden sich hier.

Nördlich der mittelalterlichen 18 **Schelde-Uferburg Steen** (ab 13. Jh.) beginnt das Hafenareal mit teilweise neuer Bebauung.

MUSEEN

Das 4 **Museum »Plantin-Moretus«** ist das einzige weltweit erhaltene Buchdruckerei- und Verlagsunternehmen aus dem 16. Jh. und UNESCO-Welterbe (Vrijdagmarkt 22–23, www.museumplantinmoretus.be, Di.–So. 10.00–17.00 Uhr). Kleidung aus fünf Jahrhunderten präsentiert das 5 **Modemuseum MoMu** (Nationalestraat 28, www.momu.be, Di.–So. 10.00–18.00 Uhr). In zehn Räumen lässt das restaurierte 8 **Rubenshuis** das Werk (zahlreiche Originale!) des barocken Malergenies aufleben (Wapper 9-11, https://rubenshuis.be, vorübergehend geschl.). Im klassizistischen Gemäuer des 15 **Koninklijk Museum voor Schone Kunsten** (Königliches Museum der Schönen Künste) werden vor allem Werke der flämischen Schule und niederländischer Meister gezeigt (https://kmska.be, Mo.–Mi., Fr. 10.00–17.00, Do. bis 22.00, Sa./So. bis 18.00 Uhr). In der Nähe liegt

Tipp

Eisenbahn-Kathedrale

Nur ein Bahnhof? Das fast 200 m lange Jugendstilgebäude mit mächtiger Kuppel, Marmorschmuck und aufwendigen Stuckaturen macht den Bahnhof Antwerpen Centraal, 1905 fertiggestellt, zu einer Kathedrale des Eisenbahn-Zeitalters. Mittlerweile wurde die nun denkmalgeschützte Eisenbahnkathedrale zu einem hochmodernen Haltepunkt um- und ausgebaut – vor allem in Hinblick auf die Hochgeschwindigkeitszüge Amsterdam – Paris. Das imposante Hauptgebäude blieb dabei komplett erhalten; umgebaut wurde in erster Linie der historische Hallenteil.

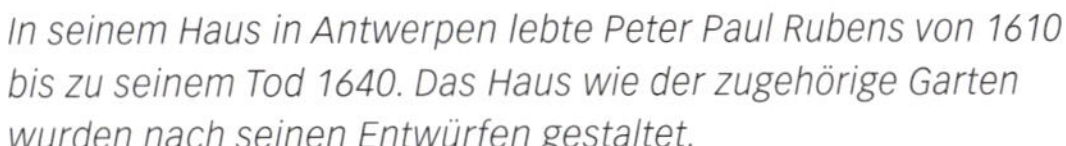

In seinem Haus in Antwerpen lebte Peter Paul Rubens von 1610 bis zu seinem Tod 1640. Das Haus wie der zugehörige Garten wurden nach seinen Entwürfen gestaltet.

das 17 **Museum van de Hedendaagse Kunst Antwerpen M HKA** (Museum für zeitgenössische Kunst; Leuvenstraat 32, www.muhka.be, Di.–So. 11.00–18.00 Uhr). Stadt-Geschichte(n) mit Panoramablick und Sonderausstellungen bietet das 19 **Museum aan de Stroom MAS** (Hanzestedenplaats 1, www.mas.be, Di.–So. 10.00–17.00 Uhr). Im alten Hafen eröffnete in den historischen Räumen der gleichnamigen Schifffahrtslinie das 20 **Red Star Line Museum** zum Thema Emigration (Montevideostraat 3, www.redstarline.be, Di. bis So. 10.00–17.00 Uhr). Auf den sechs Etagen des 16 **Diamanten-Musems DIVA** (Suikerrui 17–19, www.divaantwerp.be, tgl. außer Mi. 10.00–18.00 Uhr) dreht sich alles um die kostbaren Steine und um Silberschmiedekunst.

AKTIVITÄTEN

Antwerpen lässt sich bestens per Fahrrad erkunden – Leihstation ist u. a. **Velo Antwerpen** (www.velo-antwerpen.be). Geführte Touren

Tipp

Hafen-Entdeckung

Über 13 000 ha Fläche, 350 km Straßennetz und 1000 Jahre Geschichte: Antwerpens Hafen ist nicht nur in Sachen Frachtaufkommen ein Ort der Superlative. Bei einer Hafenrundfahrt (1,5 oder 3 Stunden, niederländ./engl.) erfahen die Passagiere eine Menge über Docks und Kanäle, über Frachter und über »t'Eilandje« (das Inselchen) im ältesten Teil der Anlagen. Mögen Sie es schnell? Dann ist ein Ausflug mit der Wasserlimo genau das Richtige, um den Hafen und das Scheldeland zu erkunden. Oder Sie nehmen den günstigen Wasserbus, das Boot, das Antwerpener täglich zum Pendeln über das Wasser nutzen. Kostenlos ist die Fähre zwischen dem linken und rechten Ufer, die ab dem Steg am Frederik Van Eedenplein und dem Ponton am Het Steen verkehrt.

Reederei Flandria
Anlegestelle: Londenbrug,
www.flandria.nu

Inmitten der Farbtöne: gedeckt in der Manufaktur De Wit in Mechelen, leuchtend im Umland

(auch auf Deutsch) bietet z. B. **Antwerp by bike** (www.antwerpbybike.be) an.

HOTEL

Das Boutique-Hotel **€ € Matelote** (Haarstraat 11a, www.hotel-matelote.be) liegt in einer Gasse zwischen Grote Markt u. Scheldeufer.

RESTAURANT

Nostalgisches Kaffeehaus-Interieur und eine schöne Sommerterrasse bilden im **€ € € Bourla** (Graanmarkt 7, Tel 03 232 16 32, www.bourla.be) den atmosphärischen Rahmen für belgische und französische Spezialitäten.

EINKAUFEN

Köstliche »Antwerpse Handjes« gibt es bei **Philips Biscuits** in der Korte Gasthuisstraat; den 1863 erstmals hergestellten **Kräuterlikör** »Elixier d'Anvers« kauft man am besten direkt im Familienbetrieb am Haantjeslei 132 (www.elixirdanvers.be).

UMGEBUNG

Beliebte Ausflugsziele östlich sind die **Abdij von Postel** (ca. 50 km) von 1140, die **Abdij von Tongerlo** (ca. 25 km) und die Landschaft um **Retie** und **Dessel** (ca. 40 km).

INFORMATION

Toerisme Antwerpen, Besucherzentrum in Het Steen Steenplein 1, 2000 Antwerpen, Tel. 03 22 11 333, www.visitantwerpen.be

21 Lier

»Lierke – plaisierke« heißt es in Antwerpen, wenn von dem Geburtsort von Felix Timmermans (1886–1947) die Rede ist, dem Seelendichter Flanderns. Aufgrund seiner vielen Wasserläufe wird das Städtchen auch »Venedig des Kempenlands« genannt.

SEHENSWERT

Herzstück von Lier ist der älteste **Beginenhof** von Flandern. Bereits 1258 wurde der Grundstein zu dem Ensemble aus 11 Gassen und ca. 160 Häusern gelegt. Wie dieses zählt der gotische **Belfried** am Grote Markt zum UNESCO-

Welterbe. Alte Zunfthäuser wie der barocke »Eichenbaum« säumen das Areal. Im **Centrum voor Textiele Kunsten** kann man die Entstehung von Tüllspitze verfolgen (ehem. Kapelle des Godshuis Sint-Barbara en Sint-Beatrix, Begijnhofstraat 24, Mo., Di., Do. 13.30–16.30 Uhr). Kostbarster Kirchenschatz der **Sint-Gummaruskerk** (1425–1540) ist der silberne Reliquienschrein des hl. Gummarus. Im **Zimmertoren** (Zimmerturm) tickt eine astronomische Uhr mit 13 Zifferblättern (mit Museum, Zimmerplein 18, https://zimmertoren.be, Di.–So. 10.00 bis 12.00 und 13.00–17.00 Uhr).

MUSEEN

Werke von Rubens, Breugel und Franz Florins sind im **Stadtmuseum** (Stedelijk Museum, Florent Van Cauwenberghstraat 14, www.stadsmuseumlier.be, Di.–So. 10.00–17.00 Uhr) vertreten sowie Exponate aus dem einstigen Timmermans/Opsommer Museum.

AKTIVITÄTEN

Die »Koninklijke Moedige Bootvissers« bieten im Zentrum der Stadt **Bootsfahrten** in alten Aalkähnen an (Tel. 03 4 80 80 75, www.bootjevareninlier.be, April–Ende Okt. Sa./So./Fei. 14.00–17.30 Uhr).

INFORMATION

Toerisme Lier, Grote Markt 58, 2500 Lier, Tel. 03 80 00 55 5, www.visitlier.be

22 Mechelen

Als einstige Hauptstadt der Spanischen Niederlande bewahrt Mechelen bis heute seine historische Pracht. Mehr als 300 denkmalgeschützte Bauwerke drängen sich um ihr Wahrzeichen, den Turm von Sint-Rombout, und erinnern an die Blüte im 16. Jh. Der Turm selbst zieht mit seinen beiden Glockenspielen Musiker aus aller Herren Länder an, denn Mechelen ist Sitz der ältesten Glockenspielerschule der Welt.

SEHENSWERT

In den historischen Mauern der Renaissancestadt am Ufer der Dijle erklärte die UNESCO gleich drei Gebäude zum Welterbe: den ca. 97 Meter hohen und mit 98 Glocken bestückten Turm der gotischen **Sint-Romboutskathedraal;** den ebenfalls unvollendeten **Belfried** der Tuchhalle (frühes 14. Jh.), die als **Rathaus** genutzt wird, und den **Großen Beginenhof** (13. Jh.). Im Stadtkern locken hübsche Plätze, so der **Schoenmarkt** (Schustermarkt) mit dem Schöffenhaus und dem Denkmal Margaretes von Österreich, die 1507 die Regentschaft der Niederlande erhalten hatte und 1530 in Mechelen verstorben ist. Das westlich davon ge-

legene **Palais der Margaretha von York** (heute Stadttheater) wird auch Kaisershof genannt, da der nachmalige Kaiser Karl V. hier von 1500 bis 1515 logierte. Ebenfalls in der Merodestraat steht am Eck das im Rokokostil erbaute Haus **'t Schipke** (Schiffchen), Sitz der Königlichen Glockenspielschule Jef Denijn. Aufmerksamkeit gebührt auch der **Onze-Lieve-Vrouw-over-de-Dijlekerk** (Liebfrauenkirche, 16. Jh.) im Süden, befindet sich doch hier Rubens' »Wunderbarer Fischfang«. Die gotische **Sint-Janskerk** (St. Johannes) nördlich des Grote Markt birgt sein Triptychon mit der Anbetung der Könige. In der 1889 gegr. **Königlichen Manufaktur De Wit** westl. davon werden bis heute kostbare Wandteppiche restauriert und gewoben (Schoutetstraat 7, www.dewit.be).

MUSEEN
Der einst Kaiser Karls Lehrer Hieronymus von Beusleyden als Domizil dienende, prächtige Burgunder Stadtpalast **Hof Van Busleyden** ist ein modernes Museum zu Geschichte und Zukunft von Mechelen (Sint-Janstraat 2a, wegen Renovierung derzeit geschl., www.hofvanbusleyden.be). Erinnerung und Mahnung zugleich ist das **Joods Museum van Deportatie en Verzet** (Jüdisches Museum der Deportation und des Widerstands) in der ehem. Dossin-Kaserne, von der aus 25 000 Juden, Sinti und Roma von den Deutschen nach Auschwitz deportiert wurden (Goswin de Stassartstraat 153, www.kazernedossin.eu, Mo./Di., Do./Fr. 9.00 bis 17.00, Sa./So. 9.30–17.00 Uhr; an jüdischen Feiertagen geschl.). Nicht nur für Kinder und Jugendliche faszinierend ist **Technopolis,** Aktionszentrum rund um Wissenschaft und Technologie (Technologielaan, www.technopolis.be, tgl. 9.30–17.00 Uhr).

UMGEBUNG
Fort Breendonk westl. von Mechelen war während der deutschen Besatzung Konzentrationslager für 3500 politische Häftlinge. Die Hälfte von ihnen überlebte nicht (tgl. 9.30 bis 17.30 Uhr, www.breendonk.be).

AKTIVITÄTEN
Die Provinz Antwerpen lässt sich auf Routen von 30 bis ca. 115 Kilometern erradeln. Die **Trappistenroute** z. B. führt von der Abtei Westmalle ca. 45 km durch das Kempenland mit Schlössern (www.routeyou.com/de-be/route/view/8992710/freizeit-fahrradroute/trappistenpfad).

ERLEBEN
Klassische Melodien und auch zeitgenössische Kompositionen erklingen bei den **Glockenspielkonzerten TOPZIEL** von Sint-Rombout (Juni–Mitte Sept. Mo. 20.30 Uhr). Jeweils am So. vor Himmelfahrt richtet die Stadt die **Hanswijkprozession** aus (www.kerknet.be/organisatie/hanswijk-processie).

INFORMATION
Visit Mechelen, Vleeshouwersstraat 6
Tel. 015 29 76 54,
https://visit.mechelen.be

MODE – EIN SPAZIERGANG

Unser MoMu-Führer, der Modemuseums-Führer, wartet schon. Seine Augen wandern rasch zu unseren Schuhen. Aber der Modeexperte interessiert sich dabei ausnahmsweise nicht für das Design. Es geht vielmehr um die Bequemlichkeit. »Wir werden gut zwei Stunden zu Fuß unterwegs sein.«

Und so setzt sich unser Grüppchen in Antwerpen in Bewegung. Heute ist Antwerpen eine der führenden Modestädte weltweit. Zu verdanken ist dies in erster Linie den »Antwerp Six«, einer Gruppe von heute bekannten belgischen Modedesignern, denen Mitte der 1980er-Jahre der internationale Durchbruch gelang, sich damit einen Platz an der Weltspitze sicherte und den Weg für künftige Generationen ebnete. Bei diesem Spaziergang werden die Geschäfte, Gebäude und anderen Orte aufgesucht, die für die Entwicklung Antwerpens hin zu einer Modestadt prägend waren. Dazu zählen die Nationalestraat mit der weltberühmten Modeakademie, das elegante Quartier Latin und die belebte Einkaufsstraße Meir. Der

Spaziergang endet im wunderschön restaurierten Stadsfeestzaal am Meir, einem neoklassizistischen Gebäude von 1908 mit einer prächtig ausgestatteten Passage.

Während der Tour hatten wir keine Möglichkeit zum Einkaufen, denn bei diesem Spaziergang besuchen wir keine Geschäfte und Modeboutiquen. Begutachtet werden nur die Auslagen in den Schaufenstern.

Kommentierter Modespaziergang/Fashion Walk:
auf Anfrage für Gruppen (121 €, max. 20 Teilnehmer, www.antwerpsestadsgidsen.be)

Start: Groenplaats – Rubensstatue

Amadeus
Amadeus
Amadeus
THE PLACE FOR RIBS
kom binnen en
geniet op ons
gezellig terras

Gent und Ostflandern

*

ALTARKUNST UND ARBEITER-PROTEST

*

Verträumte Landschaften, eindrucksvolle Schlösser, stille Bauerndörfer und prächtige Städtchen: Ostflandern ist ein uraltes Stück Land, geprägt von burgundischer Tradition und zeitgenössischem Elan. Seine Metropole Gent war nach Paris die mächtigste und größte Stadt des Mittelalters.

Das Patershol-Viertel in Gent, einst Arbeiterbezirk, machen seine vielen Gässchen mit Restaurants und kleinen Läden lebendig.

An Korenlei (oben) und Graslei (rechts) lag einst der Genter Hafen.
Die Zunfthäuser verleihen der Uferzeile ihren besonderen Charme …

Fast wie ein Trichter zieht das Westportal der Sint-Baafskathedraal in Gent die Besucher hinein – dorthin, wo der großartige Altar der Brüder van Eyck mit einem außergewöhnlichen Detailreichtum die Anbetung des Gotteslamms erzählt.

... und belegen doch auch – teils in Brabanter Gotik, teils in flämischer Renaissance – die einstige Bedeutung Gents als Handelsstadt.

Das Museum Dhondt-Dhaenens in Sint-Martens-Latem widmet sich der belgischen Kunst, präsentiert aber auch Werke wie des deutschen Künstlers Anselm Reyle (vorne).

Ganda bedeutete im Keltischen Zusammenfluss. Wo die Leie in die Schelde mündet, wurde Ganda, das heutige Gent, einst gegründet. Und bis heute versteht sich die Geburtsstadt von Kaiser Karl V. als Wasserstadt. Davon zeugt der Jachthafen ebenso wie der weitgehend autofreie historische Stadtkern mit seinem regen Bootsverkehr (inklusive Wassertrambahn im Hop-on-hop-off-Konzept) und das schön restaurierte Art-déco-Schwimmbad Van Eyck – das älteste Hallenbad Belgiens.

Gent ist immer wieder für Überraschungen gut. Seien es kunstvoll-ironische Spray-Gemälde an ungewöhnlichen Orten oder Baumreihen, die gepflanzt wurden, um die Grundrisslinien der historischen Bausubstanz erahnen zu lassen. Théo van Rysselberghe, Flanderns bedeutendster Maler des Pointillismus, hätte an solchen Ideen sicher viel Freude gehabt.

»EIN ÜBERKÖSTLICH HOCH-VERSTÄNDIG GEMÄL«

Albrecht Dürer über den Genter Altar

SKANDALTRÄCHTIGES »LAMM GOTTES« ...

Albert Dürer beschrieb es nach persönlicher In-Augenscheinnahme als »ein überköstlich hoch-verständig gemäl«. So mancher Zeitgenosse indes war geschockt: Denn die Eva auf Jan van Eycks Genter Altar (1432) ist eine der ersten Aktdarstellungen einer Frau, geschaffen für die Augen der Öffentlichkeit. Auch mit seinen Maßen und Massen sorgte das Kunstwerk für eine Sensation: 250 Quadratmeter Bildfläche, aufgeteilt auf mehrere Tafeln – und bevölkert von mehr als 250 Personen. Und präzise lassen sich Gewänder, Frisuren, Schmuck und Waffen erkennen. Zudem brachte Jan van Eyck gemeinsam mit seinem Bruder Hubert 81 verschiedene Blüten und Pflanzenarten auf dem auch als »Lamm Gottes« bekannten Altarbild unter, winzig, aber detailgenau. Nach seiner

Alles im Zeichen der Tischkultur im Designmuseum in Gent – aber zu wem gehören die grünen Arme?

Nahe dem Kouter, dem ehemaligen Turnier- und Festplatz im Süden Gents, lässt es sich trefflich shoppen.

Feierabend-Bierchen im angesagten Viertel Patershol, …

… wo Restaurants internationale, aber auch flämische Küche bieten.

langen Restaurierung erstrahlt das Werk nun seit 2020 wieder in jenem Glanz, den ihm seine Schöpfer einst verliehen hatten: Die Farben leuchten kräftig, die Tiefenwirkung ist größer, Stoffe und Pelze wirken täuschend echt. Viele neue Details kamen zutage, darunter auch das überraschend menschlich wirkende Original-Antlitz des Lammes.

EIN UNAUFGEKLÄRTER DIEBSTAHL

Dass eine Tafel fehlt im Original, fällt sicher nur dem kunsthistorisch Geschulten auf. Es sind ausgerechnet die »Gerechten Richter«, bei denen man sich mit einer Kopie zufriedengeben muss. Die Erklärung dafür mutet an wie ein Thriller: Wie üblich hatte die Sint-Baafskathedraal auch am 10. April 1934 ihre Pforten um 19 Uhr geschlossen. Doch aus dem Gotteshaus fiel ein schwacher Lichtschein auf die Straße. Das weckte die Aufmerksamkeit eines kleinen Ganoven. Kaum hatte er sich der Kirche genähert, sah er zwei Männer heraustreten. Sie trugen zwei große Holztafeln und mühten sich, diese rasch in einem Auto zu verstauen. Als sich der Augenzeuge bemerkbar machte, erkaufte das Diebesduo mit einem Bündel Geldscheine seine Verschwiegenheit. Es war jedoch ein anderer Mann, der das Schweigen brach. Arsène Goedertier, ein Finanzmakler, ge-

Special

Gentse Feesten

Sommerliche Straßenkultur

Elf Plätze, elf Musikbühnen – es locken Konzerte von Jazz bis Funk, von Latin bis Rock.

Ob vor der Kathedrale, auf dem Groentenmarkt oder den Wasserwegen der Stadt – überall tönen an zehn Sommertagen und -abenden die Rhythmen aus aller Herren Länder. Europas größtes Kulturfestival seien die Gentse Feesten, behaupten die Veranstalter; tatsächlich sind es eigentlich vier Festivals, die zeitgleich abgehalten werden. Das flämische Showbiz ist auch vertreten, Coverbands und junge Genter Gruppen intonieren die neuesten Trends. Zur Musik gesellen sich Kleinkunst, Schauspiel sowie internationales Puppen-, Figuren- und Objekttheater.

Überdies gehören zum vielfältigen Programm eine Festparade, Feuerwerk, ein Ball und der berühmte Umzug der Stropkes oder Stroppendragers (Schlingen-um-den-Hals-Träger); diese Tradition hat ihren Ursprung im Mittelalter, als Herzog Philipp der Gute die Ratsherren von Gent im Büßerhemd mit einem Strick um den Hals antreten und um Gnade bitten ließ, nachdem das Stadtheer sich bei der entscheidenden Schlacht gegen die burgundische Herrschaft hatte geschlagen geben müssen.

Viel Volk auf den Feesten

Die Gentse Feesten beginnen jedes Jahr am Freitag vor dem dritten Sonntag im Juli und enden am Sonntag der darauffolgenden Woche.

Vor den Toren Gents warten Schlösser wie das von Laarne (oben links), der Park Beervelde mit einer der größten Azaleen-Sammlungen Europas (oben rechts und unten links) sowie romantische Wassermühlen (unten rechts).

Die in ihrer Form klar ausgebildeten Würfelkapitelle in der Hallenkrypta der Sint-Hermeskerk in Ronse verraten die romanische Herkunft des Baus.

stand auf dem Sterbebett seine Beteiligung am Raub der Altartafeln. Allerdings konnte er nichts mehr über den Verbleib der »Gerechten Richter« preisgeben.

REBELLION ODER ZUMINDEST EIN AUSGEPRÄGTES SOZIALES BEWUSSTSEIN LIEGT DEN GENTERN SCHEINBAR IM BLUT.

FÜR EIN BESSERES LEBEN

Rebellion oder zumindest ein ausgeprägtes soziales Bewusstsein liegt den Gentern scheinbar im Blut. Schon gegen Kaiser Karl V. probten sie den Aufstand. Und als im 19. Jahrhundert die Textilindustrie in ihrer Stadt aufgrund weitgehender Mechanisierung erneut boomte, trachteten sie danach, dass nicht allein die Fabrikbesitzer davon profitierten. Genossenschaften formten sich, um die Lebensumstände und Arbeitsbedingungen der vielen Tausend Menschen zu verbessern, die in ärmlichen Dachkammern, Hinterhäusern, Kellerräumen und Lagerschuppen hausten und an Spinnrädern, Webstühlen und anderen Maschinen unter oft menschenunwürdigen Bedingungen den Wohlstand der Textilkönige mehrten. Gent wurde zur Wiege und Hochburg der Arbeiterbewegung. Über die Samenwerkende Maatschappij Vooruit, eine der großen Textilgenossenschaften, bauten die engagierten »Roten« ein Netzwerk von Organisationen auf, das zum Modell für das übrige Belgien und das Ausland werden sollte. Ihren sozialen und sozialistischen Ideen verliehen die Genter Arbeiter auch architektonischen Ausdruck: So steht auf dem Vrijdagmarkt »Ons Huis«, der prachtvolle Art-nouveau-Bau der Sozialistischen Arbeitervereinigungen, wie die goldenen Lettern über dem großen Halbbogenfenster verkünden.

Nicht minder eindrucksvoll zeigt sich das Feestlokaal van Vooruit in der Sint-Pietersnieuwstraat. Munter mischte Ferdinand Dierkens – Architekt auch von Ons Huis – 1911 die Stile für den lichten, 300 Räume bergenden Koloss. Theater, Musik, Film, Bälle, politische Zusammenkünfte – ein halbes Dutzend großer Säle stand für solche Anlässe zur Verfügung. Und im Domsaal, dessen Decke sich wölbt wie die einer Kathedrale, ertüchtigten sich die Mitglieder des sozialistischen Gymnastik-Clubs. Frauen und Männer, Seite an Seite – auch das hatte es zuvor nicht gegeben in Flandern! Komplett restauriert und anno 2000 als flämisches Bauwerk des Jahres ausgezeichnet, steht das Vooruit inzwischen erneut für ein unkonventionelles, spartenübergreifendes Kulturangebot.

Wie es sich für eine reiche Tuchmacherstadt gehörte, bauten die Aalster ihrem Rathaus auch einen Belfried an.

Radfahren ist Nationalsport in Flandern. Nur logisch, dass es in Oudenaarde, mittlerweile Zielpunkt der Flandernrundfahrt, ein modernes museales Zentrum zu diesem Radsportereignis gibt.

Da geht auch rheinischen Jecken das Herz auf: Karnevalsumzug in Aalst.

STEILHÖHEN FÜR RADSPORTLER

Sie heißen »Quer durch Flandern«, »Scheldepreis«, »Der Pfeil von Brabant« oder »Handzame Classic« und sorgen allesamt für ein hohes Aufkommen an Schaulustigen. Höhepunkt dieser flämischen Radrennen ist indes die Ronde van Vlaanderen, die am 3. April 2016 ihre hundertste Ausgabe feierte.

Erstmals gestartet wurde dieses heute populärste Eintagesrennen von Belgien allerdings bereits 1913. Am 25. Mai jenes Jahres schwangen sich 37 »Flandriens« in Gent auf die Sättel ihrer Räder, um 324 Kilometer in Angriff zu nehmen, u. a. durch Sint-Niklaas, Aalst, Oudenaarde, Kortrijk, Veurne, Oostende, Roeselare und Brügge und zurück zur Radrennbahn des Dorfs Mariakerke, heute Teilgemeinde von Gent. Das von dem begeisterten Sportjournalisten Karel Van Wijnendaele initiierte und organisierte Rennen gewann rasch an Popularität; die Sieger der ersten beiden Jahrzehnte sind längst zu Mythen geworden – ebenso wie später Eddy Merckx, der zwei Mal als Sieger über die Zielgerade rollte. Inzwischen startet das Rennen mit dem schönen Beinamen »Vlaanderens mooiste« (Flanderns Schönste) abwechselnd in Brügge und Antwerpen und endet in Oudenaarde. Dass die heute rund 250 km lange Ronde van Vlaanderen noch immer als eine der größten Herausforderungen gilt, liegt an der Streckenführung: Die Fahrer werrden über zahlreiche kurze, sehr steile Anstiege (»hellinge«), oft auf Kopfsteinpflaster (»kasseien«) gejagt. Berüchtigt sind u. a. der Oude Kwaremont und die »Mauer« von Geraardsbergen.

NICHTS FÜRCHTEN DIE TEILNEHMER DER FLANDERNRUNDFAHRT MEHR ALS DIE »MAUER« VON GERAARDSBERGEN.

EINE RADSPORTLEGENDE

Im Zielort Oudenaarde erzählt ein Museum die Geschichte der Rundfahrt. Südöstlich des Städtchens, in Ruien (Kluisbergen), wo Eddy Merckx am 17. September 1977 seinen letzten Sieg einfuhr, wurde zudem ein Rundkurs mit dem Namen der belgischen Radsportlegende ausgeschildert (46 km, vier Anstiege), der nach Ende seiner Karriere selbst Räder produzierte. Und welch wichtige Rolle das Radfahren im gesamten Land spielt, zeigt nicht zuletzt die Tatsache, dass Brüssel bereits 2003 eine seiner U-Bahn-Stationen auf den Namen Eddy Merckx taufte ...

FLANDERNS WORPSWEDE

Als Erstes erlagen die »Mystiker« dem Zauber der lichten Wälder im Süden von Gent. Man schrieb das Jahr 1889, als George Baron Minne, von Auguste Rodin als Schüler abgewiesen, sich in Sint-Mar-

Man mag sich an die französische Schlossbaukunst erinnert fühlen beim Anblick von Schloss Ooidonk, das von einem großzügigen Park umgeben ist.

tens-Latem niederließ, um mit einer Handvoll Malern eine Künstlerkolonie zu gründen. Bald schon folgten den Vertretern des Symbolismus jedoch jene Künstlerkollegen, die die heutige Doppelgemeinde Deurle/Sint-Martens-Latem als Wiege des flämischen Expressionismus berühmt machen sollten: Constant Permeke, Frits van den Berghe sowie die Brüder Gustaaf und Leon De Smet. Nach 1914 sollten noch zwei weitere Gruppen von flämischen Malern und Bildhauern

GEPRÄGT WAR DIE »LATEMSE SCHOOL« AUCH DURCH DAS GEMEINSAME DORFLEBEN.

ihren Wohnsitz in die beiden Dörfer am Ufer der Leie verlegen; alle rechnet die Kunstgeschichte zur Latemse School, wiewohl die vier keine Organisation gebildet und auch nur wenige stiltechnische Gemeinsamkeiten hatten. Als Klammer gilt das gemeinsame Dorfleben in den heutigen Villenvororten der Tuchmetropole, die Inspiration durch die von Wasser, Wald und Weiden geprägte Landschaft – die auch das in der Nähe liegende Schloss Ooidonk umgibt. Insgesamt sechs ehemalige Künstlerhäuser, jetzt privat bewohnt, stehen inzwischen unter Denkmalschutz; mehrere Museen und Galerien reflektieren das Schaffen der Vertreter der Latemser Schule – und auch jener, die deren Erbe bis ins 21. Jahrhundert hinein antraten.

Eine große Sammlung ist im ehemaligen Wohnhaus und Atelier von Gust(aaf) de Smet untergebracht; andere Werke finden sich im einstigen Domizil des Malers Edgar Gevaert. Das Industriellenpaar Jules und Irma Dhondt-Dhaenens beschloss 1967, seine Kunstkollektion (u.a. mit Arbeiten Latemser Künstler) öffentlich zugänglich zu machen. Inzwischen fungiert der weiße modernistische Kubenbau der Sammler auch als Ort für Ausstellungen und andere künstlerische Aktivitäten.

Belgische Braukunst

SCHWEIGENDE MÖNCHE

Sie heißen »Plötzlicher Tod« und »Teufel« (Mort Subite, Duvel), locken als »Verbotene Frucht« (De Verboden Vrucht) oder als »Schöne Aussicht« (Belle-Vue), schmecken nach Sauerkirschen und Malz, prickeln manchmal wie Champagner, werden oft auch verkorkt wie dieser und nach Jahrgängen sortiert. Belgische Biere sind Legende.

Ob »blonde« oder »brune«, herb oder fruchtig, stark oder mild, süß oder bitter – das Land der Flamen und Wallonen kann sich rühmen, die größte Vielfalt an Biersorten zu brauen. Mehr als 120 Brauereien stellen über 500 grundverschiedene Biere her.

Viele davon sind obergärig und Ale-artig wie sie etwa Palm und De Koninck brauen. Aus der Umgebung von Brüssel kommt Lambic bzw. Lambiek. Das Geheimnis dieses Weizenbiers ist die spontane Gärung, die von zwei besonderen Hefepilzen ausgelöst wird, die nur in einem Umkreis von etwa 20 Kilometern um die belgische Metropole leben. So gärt bei Cantillon in Brüssel das Bier in offenen Bottichen auf dem Dachstuhl. Auch das Goudenband von Liefmans aus Oudenaarde ist spontan vergoren.

Wird noch nicht vollständig ausgereiftes Lambic mit ganz jungem vermischt und in Flaschen erneut vergoren, kommt die prickelnde, säuerliche Gueuze heraus. Mit Sauerkirschen vergorenes Lambic nennt sich Kriek; doch wie bei den vielen anderen belgischen Fruchtbieren wird heuzutage meist nur Fruchtsaft mitvergoren. Lindemans braut noch traditionell.

GENAU HINSEHEN

Hoch oben auf der Beliebtheitsskala belgischer Biere stehen die Biere des Schweigeordens der Trappisten. Allerdings dürfen nur zwei Klosterbrauereien in Flandern (Westmalle und Westvleteren) und drei in Wallonien (Chimay, Rochefort, Orval) sich als Trappistenbrauerei bezeichnen. Abteibiere, die es auch gibt, werden in weltlichen Brauereien hergestellt.

Antwerpens älteste Stadtbrauerei De Koninck braut seit 1833. Spezialität ist das amberfarbene Bolleke.

MIT ENTHUSIASMUS

In der Abtei von Westmalle, 1794 gegründet, wurde 1836 erstmals gebraut; der Verkauf vor Ort begann 1856. Heute macht man hier das goldgelbe Tripel (9,5 % Vol. Alc) und das rotbraune Dubbel (7 %). Für manchen Bierkenner ist indes das »Westvleteren 12« (10,5 %) die Krönung. Man bekommt es nur in geringen Mengen und auf Vorbestellung (neuerdings auch online) in der Abtei Sankt Sixtus nordwestlich von Ieper.

Auch in Esen bei Diksmuide sind Enthusiasten am Werk. Hier geht es vor allem um's Oerbier, das Urbier mit Hopfen aus Poperinge. »Nat en straf« sei es, also nass und stark. Apropos Poperinge: Hier wird Hopfen angebaut, weshalb es alle drei Jahre ein Bier- und Hopfenfestival gibt.

Wo aber all das probieren? Eigentlich einfach: Jedes Café (so heißen die Kneipen) hat eine Grundausstattung aus Gueuze, Kriek, Trappist, Amber etc.. Wer tiefer eindringen will, gehe ins Brugs Beertje TOPZIEL in Brügge: 300 Biere stehen dort auf der Karte.

Ein belgisches Café, das etwas auf sich hält, hat eine Menge unterschiedlicher Biere im Angebot. Bei aller Tradition: Die Biere werden mit moderner Technik gebraut.

Brauereien und Kneipen

Einige ***Brauereien*** bieten Rundgänge an oder haben ein Besucherzentrum. Nicht jedoch die Trappistenbrauereien, die hinter verschlossenen Klostermauern arbeiten.

Antwerpen: De Koninck, www.dekoninck.be
Brüssel: Brauerei Cantillon, www.cantillon.be
Esen: De Dolle Brouwers, www.oerbier.be
Oudenaarde: Liefmans, www.liefmans.com
Steenhuffel: Palm und De Hoorn, https://swinkels familybrewers.com
Vlezenbeek: Lindemans, www.lindemans.be

Zwei schöne Kneipen
Brügge: t'Brugs Beertje TOPZIEL, Kemmelstraat 5, www.brugsbeertje.be
Leuven: Domus (auch Hausbrauerei), Tiensestraat 8, www.domusleuven.be

Ob »blonde« oder »brune«, herb oder fruchtig, stark oder mild, süß oder bitter – das Land der Flamen und Wallonen kann sich rühmen, die größte Vielfalt an Biersorten zu brauen. Mehr als 120 Brauereien stellen über 500 grundverschiedene Biere her.

Viele davon sind obergärig und Ale-artig wie sie etwa Palm und De Koninck brauen. Aus der Umgebung von Brüssel kommt Lambic bzw. Lambiek. Das Geheimnis dieses Weizenbiers ist die spontane Gärung, die von zwei besonderen Hefepilzen ausgelöst wird, die nur in einem Umkreis von etwa 20 Kilometern um die belgische Metropole leben. So gärt bei Cantillon in Brüssel das Bier in offenen Bottichen auf dem Dachstuhl. Auch das Goudenband von Liefmans aus Oudenaarde ist spontan vergoren.

Wird noch nicht vollständig ausgereiftes Lambic mit ganz jungem vermischt und in Flaschen erneut vergoren, kommt die prickelnde, säuerliche Gueuze heraus. Mit Sauerkirschen vergorenes Lambic nennt sich Kriek; doch wie bei den vielen anderen belgischen Fruchtbieren wird heuzutage meist nur Fruchtsaft mitvergoren. Lindemans braut noch traditionell.

GENAU HINSEHEN

Hoch oben auf der Beliebtheitsskala belgischer Biere stehen die Biere des Schweigeordens der Trappisten. Allerdings dürfen nur zwei Klosterbrauereien in Flandern (Westmalle und Westvleteren) und drei in Wallonien (Chimay, Rochefort, Orval) sich als Trappistenbrauerei bezeichnen. Abteibiere, die es auch gibt, werden in weltlichen Brauereien hergestellt.

MIT ENTHUSIASMUS

In der Abtei von Westmalle, 1794 gegründet, wurde 1836 erstmals gebraut; der Verkauf vor Ort begann 1856. Heute macht man hier das goldgelbe Tripel (9,5 % Vol. Alc) und das rotbraune Dubbel (7 %). Für manchen Bierkenner ist indes das »Westvleteren 12« (10,5 %) die Krönung. Man bekommt es nur in geringen Mengen und auf Vorbestellung (neuerdings auch online) in der Abtei Sankt Sixtus nordwestlich von Ieper.

Auch in Esen bei Diksmuide sind Enthusiasten am Werk. Hier geht es vor allem um's Oerbier, das Urbier mit Hopfen aus Poperinge. »Nat en straf« sei es, also nass und stark. Apropos Poperinge: Hier wird Hopfen angebaut, weshalb es alle drei Jahre ein Bier- und Hopfenfestival gibt.

Wo aber all das probieren? Eigentlich einfach: Jedes Café (so heißen die Kneipen) hat eine Grundausstattung aus Gueuze, Kriek, Trappist, Amber etc.. Wer tiefer eindringen will, gehe ins Brugs Beertje TOPZIEL in Brügge: 300 Biere stehen dort auf der Karte.

Ein belgisches Café, das etwas auf sich hält, hat eine Menge unterschiedlicher Biere im Angebot. Bei aller Tradition: Die Biere werden mit moderner Technik gebraut.

Antwerpens älteste Stadtbrauerei De Koninck braut seit 1833. Spezialität ist das amberfarbene Bolleke.

Brauereien und Kneipen

Einige ***Brauereien*** bieten Rundgänge an oder haben ein Besucherzentrum. Nicht jedoch die Trappistenbrauereien, die hinter verschlossenen Klostermauern arbeiten.
Antwerpen: De Koninck, www.dekoninck.be
Brüssel: Brauerei Cantillon, www.cantillon.be
Esen: De Dolle Brouwers, www.oerbier.be
Oudenaarde: Liefmans, www.liefmans.com
Steenhuffel: Palm und De Hoorn, https://swinkels familybrewers.com
Vlezenbeek: Lindemans, www.lindemans.be

Zwei schöne Kneipen
Brügge: t'Brugs Beertje TOPZIEL, Kemmelstraat 5, www.brugsbeertje.be
Leuven: Domus (auch Hausbrauerei), Tiensestraat 8, www.domusleuven.be

Maßstab 1:320.000
0
3
6km
VLISSINGEN
Westerschelde
Oosterschelde
Westerschelde-tunnel 6600m
Breskens
Heinkenszand
Borsele
Zuid-Beveland
Reimerswaal
Woensdrecht
Hoogerheide
Oostburg
Zeeuws Vlaanderen
TERNEUZEN
HULST
Axel
Land van Waas
Sas van Gent
Assenede
Zelzate
Maldegem
Eeklo
Kaprijke
St-Laureins
Stekene
St-Gillis-Waas
Beveren
Zwijndrecht
ST-NIKLAAS (ST-NICOLAS)
Moerbeke
Wachtebeke
Kruibeke
TEMSE (TAMISE)
Waarschoot
Zomergem
Evergem
GENT (GAND)
Lochristi
LOKEREN
Waasmunster
Hamme
Bornem
Puurs
Aalter
Lovendegem
Destelbergen
Zele
DENDERMONDE (TERMONDE)
Buggenhout
Nevele
St-Martens-Latem
Laarne
Melle
Wetteren
Berlare
Wichelen
Lebbeke
DEINZE
De Pinte
Merelbeke
Lede
AALST (ALOST)
Opwijk
Merchtem
Nazareth
Oosterzele
Erpe-Mere
Meise
Gavere
Haaltert
Affligem
ASSE
Wemmel
WAREGEM
Kruishoutem
Zingem
Herzele
Denderleeuw
Zwalm
Zottegem
Liedekerke
Ternat
DILBEEK
Wortegem-Petegem
OUDENAARDE (AUDENAARDE)
Anzegem
Horebeke
NINOVE
Roosdaal
BRUXELLES
BRUSSEL
Maarkedal
Brakel
Lierde
Lennik
Gooik
Kluisbergen
Avelgem
GERAARDSBERGEN (GRAMMONT)
ST-PIETERS-LEEUW
Ronse (Renaix)
Ellezelles (Elzele)
Flobecq (Vloesberg)
Lessines (Lessen)
HALLE (HAL)
Mont-de-l'Enclus
Celles
1
2
3
4

LAND AM WASSER MIT SUPERLATIVEN

Fast 400 Kilometer schiffbarer Flüsse und Kanäle durchziehen Ostflanderns grüne Landschaft. Wer statt Wasser Wald und Wiese bevorzugt, kann in der Region auf Künstlerspuren wandern oder wie die Radfahrlegenden der Flandernrunde kräftig in die Pedale treten.

1 Gent

Aufgrund seiner weitgehend erhaltenen mittelalterlichen Architektur zählt **Gent** TOPZIEL zu den schönsten Städten in Belgien. Die von zwei Flüssen »umarmte« Universitätsstadt erlebte römische, fränkische und normannische Herrschaft, burgundische und habsburgische Zeiten. Ab dem 11. Jh. erblühte sie zur Tuchmacher-Metropole.

Der Portus Ganda am Zusammenfluss von Leie und Schelde: Im Jachthafen in Gent schaukeln sanft die Boote im Wasser.

SEHENSWERT

Fünf Viertel bilden den historischen Kern der Stadt, und das berühmteste ist sicher Torens mit der **Sint-Baafskathedraal,** die den **Genter Altar** der Gebrüder Hubert und Jan van Eyck und seit 2021, nach der beendeten Renovierung des Altars, auch ein neues Besucherzentrum birgt (Mo.–Sa. 10.00–17.00, So. u. Fei. 13.00–17.00 Uhr). Im Westen des Sint-Baafsplein reckt sich der im 14. Jh. begonnene, gut 90 m hohe **Belfried** (tgl. 10.00–18.00 Uhr), in dessen obersten Etagen die Mechanik der Turmuhr und das Glockenspiel zu bewundern sind. Woll- und Tuchhändler versammelten sich einst in der benachbarten **Lakenhalle** (15. Jh.); an der nächsten Straßenecke überrascht das **Stadhuis** (Rathaus) mit seiner Architektur: Gotik an der Seite der Hoogpoort, Renaissance an der Seite des Botermarkt. Die **Sint-Niklaaskerk** (St. Nikolaus) steht im historischen Handelszentrum der Stadt, in dessen Klein-Turkije-Gässchen auch Albrecht Dürer einst wohnte. An den Kais des historischen Leiehafens, **Korenlei** und **Graslei,** reihen sich Zunfthäuser, das früheste (Spijker) aus dem 13. Jh. Von der **Sint-Michielsbrug** zwischen beiden Uferzeilen bietet sich ein schönes Panorama: Über den mittelalterlichen Häusern ragen die drei berühmten Türme von Gent empor (St. Bavo, Belfried, St. Niklaas) und der **Gravensteen** (Sint-Veerleplein, https://historischehuizen.stad.gent/nl/gravensteen, tgl. 10.00–18.00 Uhr). Die trutzige Wasserburg (12. Jh.) der Grafen von Flandern birgt u. a. das Gerichtsmuseum; an ihrer Rückseite lässt sich noch eines der einst mehr als 400 Genter Häuser mit Holzfassaden entdecken. Das Areal zu Füßen des Gravensteen war Markt- und Hinrichtungsplatz; das Barockgebäude an seiner Westseite, den **Alten Fischmarkt,** zieren über dem Portal Neptun sowie eine männliche Allegorie auf die Schelde und eine dralle weibliche auf die Leie. Schöne Häuser des 15.–17. Jh.s säumen die **Kraanlei;** die Nr. 65 umfasst gleich ein ganzes Ensemble: das **Huis van Alijn,** 1363 als privates Kinderhospital gegründet und heute Museum (http://huisvanalijn.be, Mo./Di., Do./Fr. 9.00–17.00, Sa./So. 10.00–18.00 Uhr). Im hier beginnenden **Patershol-Viertel** wohnten im 15. Jh. vorwiegend Ratsmitglieder. Zentrum des politischen Lebens im mittelalterlichen Gent war der nahe **Vrijdagmarkt** (Freitagsmarkt), um den Zunfthäuser stehen und auch das Gebäude des Sozialistischen Arbeitervereins Ons Huis (um 1900). Östlich des Ganda-Hafens stehen die Reste der **Sint-Baafsabdij,** die Karl V. durch eine Zwingburg ersetzen ließ. In Gents Süden liegt das **Voorhuis** (Kulturzentrum). Unverändert seit dem 17. Jh. blieb der **Kleine Begijnhof** (13. Jh.) in der Violettestraat.

Regional lecker

Wie wäre es mit typischem Ganda-Schinken, köstlichem Tierenteyn-Senf, leckerem Bierkäse, feinstem Korn O'de Flander oder den vielen ostflämischen Regionalbieren? Oder lieber Süßes? Wie Schneebälle und Cuberdons? Ooost (bis April 2021 Groot Vleeshuis am Groentenmarkt) hat über 175 traditionelle Regionalprodukte zu bieten – und zwar alle unter einem Dach. Die ostflämischen Regionalprodukte können Sie natürlich auch im dazugehörigen netten Restaurant genießen.

Ooost
Goudenleeuwplein 3
(gegenüber vom Rathaus)
Di.–So. 10.00–18.00 Uhr
https://ooost.be

MUSEEN
In einer historischen Tuchfabrik untergebracht, erhellt das **Museum voor Industriele Archeologie en Textiel MIAT** (Minnemeers 10, www.industriemuseum.be, Mo./Di., Do./Fr. 9.00–17.00, Sa./So. 10.00–18.00 Uhr) die Geschichte der Weberei und Spinnerei in Gent. Vom 17. Jh. bis heute reichen die Objekte des **Designmuseums** (Jan Breydelstraat 5, www.designmuseumgent.be, wegen Renovierung bis 2026 geschl.). Das **Genter Stadsmuseum STAM** (Godshuizenlaan 2, www.stamgent.be, Mo./Di., Do./Fr. 9.00–17.00, Sa./So. 10.00–18.00 Uhr) präsentiert sich in der ehemaligen Zisterzienserinnen-Abtei Bijloke (14. Jh.) mit einem der schönsten mittelalterlichen Refektorien Europas, im Kloster aus dem 17. Jh. sowie einem Neubau. Bereits 1798 gegründet, nun frisch restauriert, versammelt das **Museum foor Schone Kunsten** (Fernand Scribedreef 1, www.mskgent.be, Di.–Fr. 9.00–17.00, Sa./So. 10.00–18.00 Uhr) u. a. Werke von Rubens, van Dyck, von belgischen Künstlern des 19. und 20. Jh.s sowie Wandteppiche. Zu den besten Adressen für zeitgenössische Kunst in Europa zählt das **Stedelijk Museum voor actuelle Kunst S.M.A.K.** (Jan Hoetplein 1, http://smak.be; Di.–Fr. 9.30–17.00 Uhr).

VERANSTALTUNGEN
Musiker aus aller Welt gastieren beim sommerlichen **Gent Jazz Festival** (https://gentjazz.com). Beim **Lichtfestival Gent** erhellen Lichtskulpturen und Installationen die winterliche Stadt (https://lichtfestival.stad.gent). Ein grandioses Open-Air sind die **Gents Feesten** im Juli (https://gentsefeesten.stad.gent).

HOTEL
Drei elegante Suiten umfasst das Bed & Breakfast **€ € € De Waterzooi** (Sint-Veerleplein 2, www.dewaterzooi.be).

RESTAURANT
€ € € € Karel De Stoute (Vrouwebroersstraat 2, https://restkareldestoute.be) bietet vorzügliche Menüs mit Fleisch und vegetarisch.

EINKAUFEN
Seit mehreren Generationen nach dem gleichen Rezept hergestellt wird der würzige **Senf** von Tierenteyn (Groentenmarkt 3). **Genter »Wippers«** und **»Heilige Mägde«** gibt es in der Confiserie Temmerman (Kraanlei 79).

UMGEBUNG
Zweimal im Jahr öffnet der ab 1873 angelegte private **Garten von Beervelde** (Beervelde-Dorp 75, www.parkvanbeervelde.be, Fr.–So. 10.00 –18.00 Uhr an je einem Wochenende Anfang Mai und Anfang Oktober) zum Gartenfestival. Etwa 8 km südwestlich vom Stadtzentrum lugen aus der lichten Waldlandschaft die Villen von **Sint- Martens-Latem** heraus. Weitere 6,5 km in Richtung **Deinze** überrascht das vom Wasser umspülte **Kasteel Ooidonk** (1595). Für seine Silbersammlung ist das **Kasteel van Laarne** (11 km östl. von Gent) berühmt.

Genter Ansichten: der mächtige Gravensteen, die Sint-Niklaaskerk – ein Beispiel der Scheldegotik – und die Kraanlei.

INFORMATION
Visit Gent/Oude Vismijn, Sint-Veerleplein 5, 9000 Gent, Tel. 09 266 56 60
https://visit.gent.be/de

2 Sint-Niklaas

Das Marktzentrum des Waaslands punktet mit architektonischen Superlativen und als Heimat des Kartografen Gerhard Mercator.

SEHENSWERT
Mit über drei Hektar ist der **Grote Markt** von St. Niklaas der größte Marktplatz Belgiens. Die ältesten Gebäude stammen aus dem 17. Jh.: das Gericht (Landhuis), die im Renaissancestil erbaute Cipierage, das ehemalige Gefängnis und das Pfarrhaus (Parochiehuis). Hauptkirche ist die **St. Niklaaskerk** (13. Jh.).

MUSEEN
Zur Sammlung des weltweit einzigartigen **Mercator-Museums** (Zamanstraat 49D, Eingang via Museumspark, wegen Renovierung bis 2025 geschl.) gehört u. a. der originale Erd- und Himmelsglobus des 1512 geborenen Wissenschaftlers. Mehr als 100 000 Buchzeichen umfasst das Internationale Exlibris-Zentrum im **SteM-Komplex** (Zwijgershoek 14; http://musea.sint-niklaas.be, Di.–Fr. 13.30–17.00, Sa. 13.00–17.00, So. 11.00–17.00 Uhr).

INFORMATION
Toerisme Sint-Niklaas/Toerisme Waasland, Grote Markt 1, 9100 Saint-Niklaas, Tel. 03 778 35 00 und 03 776 31 38, www.sint-niklaas.be, www.waasland.be

3 Aalst

Die Geschichte der historischen Tuchmacherstadt beginnt zur Römerzeit. Ihre Blütezeit hatte sie im 15. Jh. Heute ist Aalst noch immer ein Zentrum der Textilindustrie.

SEHENSWERT
Den zentralen **Groten Markt** in der Altstadt prägt das **Schepenhuis** (Anf. 13 Jh.). Mit dem **Belfried** (1460), der ein Glockenspiel birgt, zählt es zum UNESCO-Welterbe.

MUSEUM
Im Gebäude des ehemaligen Hospitals (ab 1243) ist inzwischen das stadtgeschichtliche **'t Gasthuys – Stedelijk Museum** untergebracht (Oude Vismarkt 13, www.visit-aalst.be/nl/museum, Di.–Fr. 13.00–17.00, Sa./So. 14.00–18.00 Uhr).

UMGEBUNG
An der Mündung der Dender in die Schelde wartet **Dendermonde** (13 km nördl.) mit zwei UNESCO-Stätten auf: dem Belfried am Rathaus und dem Sint-Alexiusbegijnhof (1288) mit gut 60 Gebäuden. Das Vleeshuis am Marktplatz dient nun als Museums-Domizil. In der Onze-Lieve-Vrouwekerk (Liebfrauenkirche) hängt van Dycks Gemälde »Christus am Kreuz«; auf dem Justizpalast thront das Wahrzeichen der Stadt, das Ross Bayard (www.dendermonde.be).
Gut 20 km südwestlich von Aalst überrascht **Geraardsbergen,** älteste Stadt Flanderns (1068), mit einem Manneken Pis (1455), das älter ist als jenes von Brüssel. Ausstellungen informieren über Brauereien, Zigarren, Streichhölzer und Chantillyspitze, die auf die technische und handwerkliche Tradition des Ortes verweisen.

INFORMATION
Dienst Toerisme, Hopmarkt 51, 9300 Aalst, Tel. 05 372 38 80, www.visit-aalst.be

»RENNEN WERDEN VON DEM GEWONNEN, DER AM MEISTEN LEIDEN KANN.«

Eddy Merckx

4 Oudenaarde

Das »Juwel der Flämischen Ardennen« funkelt mit gotischen Bauten am Scheldeufer. Der Maler Adriaen Brouwer wurde im 17. Jh. in dem Städtchen geboren, das bekannt für seine Wandteppiche und Bierspezialtäten ist.

SEHENSWERT
Hendrik van Pede gestaltete das prächtige **Stadhuis** (1527–1537) am Markt in Brabanter Gotik. Ebenfalls am Grote Markt stehen **Sint-Walburgakerk** (12.–15. Jh.) und **Tuchhalle** (13. Jh.). Hinter der Kirche erheben sich das **Bischofspalais** (17./18. Jh.) und das **Liebfrauenspital** von 1382. In Richtung Scheldeufer gelangt man zum mittelalterlichen **Begijnhof.**

MUSEUM
Das **Museum Oudenaarde en de Vlaamse Ardennen (MOU)** im Stadhuis erzählt mit Videos und Exponaten die Geschichte der Region, auch anhand einer Kollektion lokaler Wandteppiche (www.mou-oudenaarde.be, Di. bis Fr. 9.30–17.00, Sa./So. 14.00–17.00 Uhr). Im **Centrum Ronde van Vlaanderen CRVV** (Markt 43, www.crvv.be, tgl. 10.00–18.00 Uhr) erlebt man die schönsten Momente der Flandern-Radrundfahrt in einer Ausstellung. Es werden auch herrliche Radtouren angeboten.

UMGEBUNG
Ronse (ca. 14 km südl.) bietet außer der Sint-Hermeskerk ein Haus im Jugendstil von Victor Horta und das Textilmuseum Must in einer ehem. Textilfabrik (Hoge Mote, De Biesestraße). 40 funktionierende Webstühle veranschaulichen die Produktion von 1900 bis 2000.

INFORMATION
Dienst Toerisme, Stadhuis, Markt 1, 9700 Oudenaarde, Tel. 055 31 72 51, https://www.oudenaarde.be/nl/toerisme

Tipp

Die Riesen von Flandern

Die UNESCO hat Belgiens Prozessionen der Riesen und Drachen als immaterielles Kulturerbe anerkannt. Allein in Flandern gibt es mehr als 17 000 der oft bis zehn Meter hohen Pappmaschee-Puppen. Zu den ältesten gehört »het Ros Beiaard« (1462) von Dendermonde. Alle zehn Jahre findet zu Ehren dieses gigantischen Pferds ein Umzug statt (nächster Termin 2032, www.rosbeiaard.be). Dendermonde hat aber noch weitere Riesen aufzuweisen, z. B. »Mars« und »Goliath«. Sie gastieren auch bei anderen Umzügen, so beim Dendermonder Katuit (letzter Do. im Aug.) oder in De Haan (Ende Juli).

AUFS WASSER!

In Gent muss man Boot fahren. Die Stadt am Zusammenfluss von Leie und Schelde bietet eine Fülle an Möglichkeiten, sie vom Wasser aus zu erkunden: im handgeruderten hölzernen Kahn, auf modernen Ausflugsschiffen – oder gar selbst am Steuer.

Gent gilt als vegetarische Hauptstadt Belgiens. Was das mit einer Bootstour zu tun hat? Nun, Ip Man, der Betreiber eines vegetarischen Restaurants, hatte vor geraumer Zeit den Wunsch, seine Ansprüche an Qualität und Ästhetik auch außerhalb des kulinarischen Bereichs zu verwirklichen. So initiierte der Geschäftsmann den (Nach-)Bau traditioneller Ruderkähne, wie sie einst auf Gents Gewässern üblich waren. Jeweils 12 Personen fassen die hellen hölzernen Barken, die an der Zuivelbrücke vertäut liegen, gleich hinter dem Restaurant Panda, das vor allem frische vegetarische Gerichte serviert.

Sechs Passagiere sind wir an diesem Nachmittag; nachdem Getränke und eine kleine Stärkung für jeden an Bord verstaut sind, geht es los: die Kraanlei entlang, zur Korenlei und unter der Michaelisbrücke durch; am Gravensteen vorbei, unter dem niedrigen Gewölbe der Lievebrug hindurch und hinein in den stillen Kinderrechtenlein.

Platsch, platsch, platsch – rhythmisch taucht der Bootsführer das lange Ruder ein; wie die flämische Ausgabe eines Gondoliere kommt er uns vor. Zwei Stunden insgesamt gleiten wir übers Wasser, natürlich mit einer kleinen kulinarischen Pause – unter einer Trauerweide auf dem Lievekanal nahe dem Genter Rabot.

Holzkähne: Holzkahntouren sind nur mit Voranmeldung möglich (25 € p.Pers., 2 Std. 15 Min, inkl. Wein- oder Softdrink-Pause, mind. aber 150 € pro Tour bzw. 6 Pers./Boot), Viadagio v.z.w., Oudburg 38, 9000 Gent, Tel. 09 225 07 86, www.viadagio.be

Jachtcharter ohne Führerschein bietet Minervaboten an, 2 Std. für 65 € (max. 4 Erw. und 1 Kind bis 12 Jahre) Hafen: Coupure Rechts 2a, Tel. 09 233 79 17, www.minervaboten.be

Traditionelle Bootstouren auch bei www.debootjesvangent.be und http://rederijdegentenaer.be

Brügge und Westflandern

*

VOM MINNE-WATER ZU DEN SEEBÄDERN

*

Westflandern bedeutet in erster Linie Meeresluft: Kilometerlange Strände locken zwischen den historischen Badeorten Knokke und De Panne; herrliche Dünen- und Polderlandschaften laden zum Spazieren, Wandern, Radfahren oder Reiten ein. Und in Brügge empfängt tatsächlich einmal richtiges Mittelalter.

Eine Schönheit ist Oostende nicht. Aber der riesige Strand ist einfach unschlagbar.

Bei der Heiligblutprozession in Brügge begleitet ein großer Zug die Reliquie mit den angeblichen Blutstropfen Christi, …

… die Markgraf Dietrich von Flandern vom zweiten Kreuzzug mitgebracht haben soll. Er zeigt sie beim Festumzug, bei dem das Goldene Zeitalter Brügges im 15. Jh. wieder auflebt.

Handel und die Produktion von Luxusgütern brachten Brügge Wohlstand. Der Grote Markt bildet damals wie heute das Zentrum der Stadt.

»ICH GLAUBTE, ALLEIN KÖNIGIN ZU SEIN; HIER ABER SEHE ICH HUNDERTE UM MICH!«

Johanna von Navarra, Gattin Philipps des Schönen von Frankreich, angesichts der Brügger Bürgersfrauen

Seine Gäste empfängt Brügge am Wochenende meist mit bunter Lebendigkeit. Denn es findet entweder der »Rommelmarkt« am Dijver oder Floh- und Antiquitäten-Markt auf dem Zand statt, dem großen Platz zu Füßen des lange Zeit umstrittenen modernen Konzerthallen-Kolosses. Ein pittoreskes Flohmarkt-Durcheinander bildet dann das Geleit ins Herz einer der schönsten mittelalterlichen Städte Europas.

Um das Jahr 700 am Naturhafen des Zwin gegründet, war Brügge bereits im 14. Jahrhundert eine der bedeutendsten Metropolen Nordeuropas. Zum Ausgang des Mittelalters aber versandete die Schifffahrtsstraße zur Nordsee; die Handelsströme flossen nun an Brügge vorbei nach Antwerpen oder Gent. Die Häuser der Stadt jedoch blieben stehen, und so kann sich das »Venedig des Nordens« heute eines einmalig geschlossenen Ensembles mit Bauten aus dem 11. bis 16. Jahrhundert rühmen.

FILIGRANE FADENKUNST

Einem armen flämischen Mädchen namens Serena, so erzählt man sich in Brügge, sei die Erfindung der Klöppelspitze zu verdanken: der Zufall habe ihre Spinnfäden im Schoß zu einem hübschen Muster geformt. Doch bis heute ist nicht geklärt, ob die filigrane Kunst tatsächlich in Flandern oder doch eher in Norditalien entstand. Zum ersten Mal abgebildet wurde ein Stück Spitze (als Verzierung eines priesterlichen Chorhemds) jedenfalls auf einem Gemälde des in Brügge lebenden Malers Hans Memling aus dem Jahr 1485. Und bereits die Mädchen und Frauen des 1245 in der Hansestadt gegründeten Beginenhofs hatten sich neben der Erziehung junger Mädchen und der Krankenpflege auch dem Spitzenklöppeln verschrieben.

Aber nicht nur die frommen Frauen ließen die Klöppel tanzen: Insgesamt arbeiteten zeitweise bis zu 8000 Klöpplerinnen in Brügge. Geschichte und Aktualität des filigranen Handwerks erhellt das Kantcentrum (Spitzenmuseum) in der renovierten ehemaligen Klöppelschule der Apostelschwestern nahe der Jerusalemkirche.

STIFTSHÄUSER UND ANDERE WOHLTATEN

»Godshuis« heißen sie auf Flämisch, und mehr als 200 von ihnen zählte Brügge einst. Erbaut wurden die winzigen Wohnhöfe, oft mit einem Gartenkarree in der Mitte, ursprünglich von Handwerksgilden für ihre Mitglieder und deren Witwen oder von begüterten Bürgern aus Mildtätigkeit für bedürftige alte Leute. Jeweils vier Parteien lebten hier in

Facettenreiches Brügge: Reich verziert ist das gotische Rathaus am Burgplatz, links davon glänzt die Stadtkanzlei aus der Renaissance (oben); am Markt der mächtige Belfried (rechts). Dem Trubel entrückt sind der Beginenhof (Mitte) und die Stifterhäuser (unten).

Was bietet Brügge doch für schöne Bilder, wenn man per Boot über die »Reien«, die Grachten, fährt! Der Rozenhoedkaai ist einer der schönsten und zugleich meist frequentierten Ablegplätze.

einem eigenen Häuschen. Sie mussten keine Miete zahlen, doch waren sie gehalten, sich jeden Abend in der Kapelle innerhalb der Hofmauern zu versammeln und für den Stifter ihres Häuschens zu beten. Die ältesten Stiftungshöfe stammen aus dem 14. Jahrhundert. Viele von ihnen wurden inzwischen restauriert und modernisiert; in den meisten wohnen wie einst Senioren.

Zu den schönsten dieser architektonischen Komplexe zählen De Pelikaan in der Groene Rei, Zorghe und Schippers in der Stijn Streuvelsstraat sowie De Meulenaere im Nieuwe Gentweg. Eine besondere Rolle unter den rund 50 Stiftungshaus-Erbauern von Brügge nimmt zweifelsohne Minheer De Vos ein. 1713 ließ er sein inzwischen restauriertes und an eine einzige Familie vergebenes Armenwohnensemble in der Noordstraat errichten. Seine kalkulierte Wohltätigkeit kannte selbst im Tod keine Grenzen: Für die Familien seines Godshuis waren an der Kirchhofmauer von Liebfrauen Plätze für die Beisetzung reserviert, quasi zu Füßen der De-Vos-Gräber.

MASKEN, PFERDE UND BÄUME

Pietje de dood, »Pierrot der Tote« – diesen illustrativen Spitznamen hefteten die braven Bürger von Oostende jenem Eigenbrötler aus ihren Reihen an, der später als Maler der Masken und dem Symbolismus nahestehender Künstler in die Kunstgeschichte eingehen sollte. James Ensor entwickelte schon früh eine Passion fürs Bizarre, einen Hang zum Alptraumhaften. Sein Werk bevölkern Spukgestalten, Skelette, Dämonen, Fratzen. Und auch er selbst liebte merkwürdige Verkleidungen. 1919, im Alter von fast 60 Jahren, nahm der Künstler im Haus der Kuriositätenhandlung, die seine Mutter in der Vlaanderenstraat No. 27 betrieben hatte, sein letztes Quartier. Den Laden im Erdgeschoss beließ er; sein Atelier richtete er in der ersten Etage ein. 1949 verstarb der Kunstrebell in Oostende.

JAMES ENSOR ENTWICKELTE SCHON FRÜH EINEN HANG ZUM ALPTRAUMHAFTEN.

FREIHEITSKÄMPFER

»Im Maimond, als der Hagedorn seine feinen Blüten entfaltete, wurde zu Damme im Flandernland Ulenspiegel, der Sohn des Klaas, geboren.« Mit diesen Worten beginnt Charles de Coster seine ab 1856 verfasste Interpretation der Legende von Till Eulenspiegel. Der in München geborene, später in Brüssel lebende Autor schrieb in einem archaisierenden, derben Französisch und schilderte in kraftvoll sinnlichen Bildern dabei das alte Flandern. Er machte aus dem Narren, der seinen Mitmenschen den Spiegel der Torheit vorhält, einen gewitzten flandrischen Freiheitskämpfer, der sich gegen die Tyrannei der Spanier und des Infanten auflehnt. Mit seinem Werk rückte De Coster das flämische Städtchen Damme ins helle Licht der Weltliteratur; es gibt dort inzwischen sogar ein Uilenspiegelmuseum. Der »Ulenspiegel« wurde schon bald zum belgischen Nationalepos und begründete die moderne französischsprachige Literatur in Belgien. Allerdings saß De Coster in Sachen Inspiration für sein Werk selbst einem Streich auf. Denn die Inschrift »Hier ruht Thyl Uilenspiegel«, die man im 17. Jahrhundert auf einem verwitterten Grabstein des Dammer Friedhofs gefunden hatte, stammte nicht von einem Steinmetz. Vielmehr hatte ein anonymer Zeitgenosse damit die letzte Ruhestätte des flämischen Dichters Jacob van Maerlant (1225 – 1299) entehrt.

Schnurgerade führt die Allee durch die Polderlandschaft bei Damme, ideal, um den Gedanken beim Radfahren freien Lauf zu lassen.

Das Naturreservat Het Zwin, das hinter Knokke beginnt, bietet Störchen und vielen anderen Vogelarten geschützten Lebensraum.

Der Kanal Damse Vaart verbindet Brügge mit Damme. Man unternimmt eine Bootspartie auf ihm oder begleitet ihn per Rad am Uferdeich.

FURCHTBARE SCHLACHTEN

Wo heute im Sommer Klatschmohnfelder blühen und in ehemaligen Granattrichtern das Regenwasser glänzende Tümpel schafft, tränkte einst das Blut ungezählter Tote die Erde. Flandern war Schauplatz einiger der furchtbarsten Schlachten des Ersten Weltkriegs (Ieper; Langemarck, Menen, Paschendaele). Hunderttausende verloren hier ihr Leben. Deutsche wie britische Soldatenfriedhöfe erinnern bis heute an die Schrecknisse der »Flanders Fields«. Das Gedicht mit diesem Titel von John McCrae, kanadischer Sanitätsoffizier, setzte ihnen ein eindrucksvolles Denkmal. In Vladslo steht auf dem Soldatenfriedhof die Skulptur »Trauerndes Elternpaar«. Geschaffen hat sie Käthe Kollwitz. Die Plastik zeigt die Künstlerin mit ihrem Gatten, beide im Kummer um Sohn Peter, der im Oktober 1914 bei Diksmuide auf dem Schlachtfeld gefallen war.

»IN FLANDERS FIELDS THE POPPIES BLOW, BETWEEN THE CROSSES ROW ON ROW«

John McCrae

Jeden Abend kurz vor 8 Uhr hält die Polizei am Menenpoort in Ypern den Verkehr an. Dann bläst hier, wie täglich seit 1928, die Feuerwehr »The Last Post« zum Gedenken an die britischen Gefallenen und Vermissten. Und jeden Abend verfolgen einige Dutzend Menschen diese Zeremonie, darunter viele Nachkommen der Soldaten. Ein zutiefst bewegender Moment.

EINSTEIN AM MEER

Große Namen zieren nicht nur auf den Straßenschildern das Belle-Époque-Bad De Haan. In der Shakespearelaan Nr. 5 etwa kündet an der Fassade des Anwesens La Savoyarde eine Plakette davon, dass hier im Jahr 1933 sechs Monate lang Albert Einstein logierte. Denn auf dem

Ein Sommertag in Ypern vor der Tuchhalle. In dem im Ersten Weltkrieg völlig zerstörten und danach wiederaufgebauten Gebäude erinnert das In Flanders Fields Museum eindringlich an die Flandernschlachten.

Mit Europa verbunden präsentiert sich das Rathaus von Diksmuide. Auch diese Stadt wurde im Ersten Weltkrieg in Schutt und Asche gelegt.

»WIR SIND DANKBAR DAFÜR, DASS WIR HIER IN EUROPA NUN SCHON SO LANGE IN FRIEDEN MITEINANDER LEBEN KÖNNEN.«

Joachim Gauck, Rede zur Gedenkveranstaltung »100 Jahre Erster Weltkrieg« in Lüttich

Lebhaftes Strandleben in Oostende: Jeder schützt sich – und vielleicht auch den Nachbarn – vor Wind und Sonne, so gut er kann.

Nieuwpoort (links) ist durch seinen Fischerhafen bekannt, wird aber auch gerne von Jachten angefahren. Die Krabbenfischer von Oostduinkerke und ihre Kaltblüter sind heute eine Touristenattraktion.

Die Dünenlandschaft bei De Panne im äußersten Westzipfel Flanderns lädt zu langen Spaziergängen ein.

Special

Kusttram

Mit der Straßenbahn durch die Dünen

Flanderns Nordseeküste kann man auf Schienen erkunden: mit der Kusttram.

Die ersten Gleise für die ungewöhnliche Straßenbahn wurden bereits im Jahr 1885 verlegt – zwischen Oostende und Nieuwpoort. Als zweiter Abschnitt konnte ab 1890 die Strecke Oostende–Knokke befahren werden. Mit der Elektrifizierung wurde 1912 begonnen, später wurde der Abschnitt Nieuwpoort–De Panne-Esplanade gebaut. Der jüngste Abschnitt von De Panne-Esplanade zum Bahnhof in Adinkerke an der Grenze zu Frankreich wurde erst 1996 eröffnet.

Mit einer Länge von 67 Kilometern und 67 Haltestellen – einige davon noch in Jugendstil-Architektur – ist die belgische Kusttram die längste Straßenbahnlinie der Welt. Knapp 2,5 Stunden braucht sie heute für die gesamte Küstenstrecke. Die Fahrt führt vorbei an Grasdünen wie an Polderland, man sieht Kirchtürme und Häuser vorüberziehen. Der schönste Streckenabschnitt liegt zwischen den Stationen Middelkerke und Rennbahn Oostende: Hier verlaufen die Gleise unmittelbar am Meer entlang. Im Sommer, wenn viele Touristen an der Küste sind, verkehrt die Kusttram teils im Zehn-Minuten-Takt.

Reizvoll: mit der Tram die Küste entlang

Rückweg von einer Vortragsreise in die Vereinigten Staaten erfuhr der Physiker, dass die Nazis seinen gesamten Besitz in Berlin beschlagnahmt hatten.

»Am Dienstag, dem 28. März, gehe ich mit Elsa ... in Antwerpen von Bord. Wir haben sechzehn Koffer und meine Violine dabei. Ich beschließe, nicht mehr nach Deutschland zurückzukehren. Die ersten Nächte logieren wir bei Professor de Groodt ... Drei Tage später reisen wir mit dem Zug nach Oostende, wo wir die Tram nehmen weiter nach De Haan« – so erinnert er sich später. Mit dem Maler und Zeichner Alfons Blomme, den er im Küstenort kennenlernte, entwickelte sich eine besondere Freundschaft, Einstein stand ihm sogar Modell. Während dieser Monate hielt Einstein Vorträge in Brüssel, Oxford und Oostende, gab ein Geigenkonzert im Kasino von Oostende und besuchte Freunde wie den Maler James Ensor. Der Mord an dem Publizisten Theodor Lessing durch die Nazis am 31. August 1933 überzeugte Einstein schließlich von der großen Gefahr, in der er sich, aus einer jüdischen Familie stammend, zweifellos befand. »Am Samstag den 9. September verließ ich De Haan incognito, in Begleitung des Reporters Murphy.« Am nächsten Tag ging es via Oostende nach England, später mit Elsa auf ein Schiff mit Ziel Amerika.

Belgische Pralinen

SCHOKOLADE MIT LUFTIG-LEICHTEM INNENLEBEN

Ein Franzose soll verantwortlich für ihren Namen sein; ein Schweizer machte sie in ihrer heutigen Form berühmt. Wie dem auch sei: Für Flamen und Wallonen ist die Praline jedenfalls eine Belgierin.

Flamen und Wallonen kennen die Praline vorwiegend als »chocolat«, im flämischen Teil als »Chocolaatje«. Rund 500 Chocolatiers bzw. Chocolademakers sind im belgischen Verband der Schokoladenhersteller registriert; gut 2000 Schokogeschäfte zählt das Land und dazu mehrere Schokoladenmuseen.

Und sogar auf die Bühne haben es die belgischen Pralinen geschafft: im Brüsseler Théâtre Marni inszenierte Philippe Blasband sein Stück »Les mangeuses de chocolat«. Seine »Schokoladenesserinnen« seien, so Blasband, eine »süße Liebeserklärung« an die Schokoladenlust der Belgier. Denn glaubt man den Statistikern, essen die Bürger des kleinen Lands täglich »chocolats« – zwölf Kilo pro Kopf (oder besser: Mund) im Jahr. Damit sind sie Weltmeister bei diesem sinnlichen Vergnügen.

KÖSTLICHES AUS APOTHEKERHAND

Charakteristisch für die traditionellen belgischen Pralinen sind ihre weichen, luftigen Füllungen – aus leicht aufgeschlagener Crème fraîche zum Beispiel, aus Crème au beurre, Sabayon, Trüffel- oder Nusspasten.

Jean Neuhaus, so heißt es, war der Erste, der diese Art von »chocolats« kreierte. Jeans Großvater, gebürtig aus der Schweiz, hatte unter den Arkaden der Königlichen Saint-Hubert-Galerie in Brüssel bereits 1857 eine Confiserie pharmaceutique eröffnet, in der er selbstgemachte Hustenbonbons, Lakritze und bittere Schokoriegel vertrieb. Sohn Frédéric ersetzt die medizinischen Zutaten bald durch Fruchtgelees, Vanilleschokolade und jenes Konfekt aus gebranntem Zucker und Mandeln, das man (nach dem französischen General César Auguste de Choiseul du Plessis-Praslin) »prasline« nennt. Ab 1895 firmiert Frédéric Neuhaus unter Confiseur – Chocolatier. Nach seinem Tod übernimmt Sprössling Jean, der eigentlich Ingenieur hat werden wollen, 1912 das Unternehmen und tüftelt in den ehemaligen Apothekenkellern, bis es ihm gelingt, gefülltes Schokoladenkonfekt herzustellen. Unter dem Namen »Praline« bringt er es auf den Markt. Die Brüsseler sind entzückt.

ZUGREIFEN ERWÜNSCHT

Der Trend zu Neuhaus' innovativer Süßigkeit bleibt auch den Herren Henri Wittamer und Leonidas Kestekidis nicht verborgen. Wittamer, gebürtig aus Arles mit österreichischen Ahnen, betreibt seit 1910 am vornehmen Grand Sablon eine Patisserie. Neben Kuchen und Torten kreiert er bald auch Pralinen.

Sein griechischer Kollege hatte schon um die Jahrhundertwende in den Vereinigten Staaten angefangen, »chocolats« herzustellen. Nach seiner Heirat festigt er seinen Wohnsitz in

Der »Shock-o-latier« Dominique Persoone (oben) von The Chocolate Line in Brügge begeistert mit ungewöhnlichen Kreationen, wie Mandel-Pralinen mit frittierten Zwiebeln oder knusprigem Speck und Quinoa. Grundlage all der Köstlichkeiten ist und bleibt aber die Kakaobohne (unten).

FRÉDÉRIC NEUHAUS ERSETZT DIE MEDIZINISCHEN ZUTATEN DURCH FRUCHTGELEES, VANILLE-SCHOKOLADE UND KONFEKT AUS ZUCKER UND MANDELN.

Buttertoffees, weißes und dunkles Nougat – wer wird da schon mit mageren 100 Gramm den Laden verlassen wollen? Die Preise zumindest beziehen sich gleich aufs halbe Pfund.

Belgien und entwickelt in einer Werkstatt am Marché des Grains in Brüssel neue Pralinenarten. Sein erster Verkaufsraum in der Avenue Anspach besitzt ein Guillotine-Fenster: Die Pralinen sind auf dem Fensterbrett drapiert und die Kunden müssen gewissermaßen nur noch ihre Hand nach den Köstlichkeiten ausstrecken. Der Laden im Leonidas-Stil ist geboren.

In den 1920er-Jahren steigt auch die Familie Draps ins belgische Pralinengeschäft ein. Bis zum Krieg verkauft sie das in ihrer Brüsseler Fabrik produzierte, mit Cremes und Sahnemischungen gefüllte Schokoladenkonfekt unter dem Familiennamen. Danach entschließt sich Joseph Draps, der seinen Vater an der Spitze des Unternehmens inzwischen abgelöst hat, seine Kreationen unter einem klangvolleren Namen zu vertreiben: Godiva – nach jener englischen Lady, die der Legende nach anno 1057 nur mit ihren langen blonden Locken bekleidet durch die Straßen von Coventry ritt. Mit dieser kühnen Tat brachte die Herzogin ihren Mann davon ab, seinen Untertanen eine neue Steuer abzupressen. Das Bildnis der Lady ziert heute das Wappen der Firma.

Das Gros der Familienbetriebe ist freilich inzwischen Teil großer Konzerne. Die Belgier ficht das offenbar kaum an, sie kaufen ihre Pralinen am liebsten bei »ihrem« Chocolatier.

Adressen

Museen

Belgian Chocolate Village
Rue De Neck 20, Brüssel (Koekelberg)
www.belgianchocolatevillage.be, Di.–So. 9.00–18.00 Uhr

Choco-Story
Wijnzakstraat 2 (Sint-Jansplein), Brügge
https://choco-story-brugge.be, tgl. 10.00–17.00 Uhr

Bekannte Chocolatiers

In Brüssel:
Marcolini **TOPZIEL**, Minimenstraat 1, https://eu.marcolini.com
Kultstätte für die Liebhaber feiner, dunkler Schokoladen

Mary, u.a. Lombardstraat 28B, www.mary.be
Handgemachte Pralinen vom Hoflieferanten

In Antwerpen:
Burie, Nationalestraat 42, https://burie-chocoladepralines-antwerpen.be
Schoko-Diamanten und andere Pralinen-Preziosen

Watté, Steenhouwersvest 30, www.watte.be
Im »Chocolade-Café« trifft Kakao- auf Kaffeebohne.

In Gent:
Yuzu, Walpoortstraat 11A, www.yuzubynicolasvanaiseandc.com
Pralinen im japanischen Stil, auch mit Senf, Basilikum, Bier

In Brügge:
The Chocolate Line
Simon Stevinplein 19, www.thechocolateline.be
Ungewöhnlich in Form und Geschmack.

Was sich in den verführerisch großen Pralinenschachteln, den feinen Verpackungen und auffallenden Kartons im Schokoladengeschäft in Brüssel alles verbirgt? Auf jeden Fall Köstliches in den verschiedensten Varianten ...

Maßstab 1:320.000
0 3 6km
N O O R D Z E E
Kingston upon Hull
1
2
3
4
KNOKKE-HEIST
Blankenberge
De Haan
OOSTENDE (OSTENDE)
Bredene
Middelkerke
Oudenburg
Jabbeke
BRUGGE (BRUGGES)
Damme
Sluis
Maldegem
Nieuwpoort (Nieuport)
Koksijde
De Panne (La Panne)
Veurne (Furnes)
Gistel
Zedelgem
Oostkamp
Beernem
Ichtegem
Koekelare
Torhout (Thourout)
Diksmuide (Dixmude)
Kortemark
Lichtervelde
Wingene
Tielt
Pittem
Ardooie
Houthulst
Staden
Hooglede
ROESELARE (ROULERS)
Meulebeke
Ingelmunster
IZEGEM
Lendelede
Langemark-Poelkapelle
Moorslede
Zonnebeke
Poperinge
IEPER (YPRES)
Ledegem
WEVELGEM
MENEN (MENIN)
Wervik
HARELBEKE
KORTRIJK (COURTRAI)
Kuurne
Deerlijk
WAREGEM
Zwevegem
Heuvelland
Comines (Komen)
Warneton (-Waasten)
MOUSCRON (MOESKROEN)
Halluin
TOURCOING
ROUBAIX
WATTRELOS
MARCQ-EN-BARŒUL
ARMENTIÈRES
LAMBERSART
Bailleul
Steenvoorde
Hondschoote
Estaimpuis
Lannoy

STRANDSPASS UND MITTELALTERCHARME

Breite Sandstrände, die Noblesse historischer Seebäder und die Umtriebigkeit zeitgeistiger Freizeitofferten – an Flanderns Küste herrscht eine charmante Mischung von Einst und Jetzt. Gleiches gilt für das im Kern mittelalterliche Brügge.

1 Brügge

In **Brügge** **TOPZIEL**, Flanderns einstiger Metropole, ist der mittelalterliche Stadtkern mit seinem Labyrinth aus Gassen, Höfen und Grachten intakt und belebt. Oft wird es eng und voll im »Venedig des Nordens«.

SEHENSWERT
Brügge quasi durch die Hintertür, über das **Minnewater,** den idyllischen »Liebeswasser«-Teich, zu betreten ist keine schlechte Wahl. So trifft man als Erstes auf den – heute von Benediktinerinnen bewohnten – **Begijnhof** (gestiftet 1245) und die gotische **Onze-Lieve-Vrouwekerk** (Liebfrauenkirche). Die Steenstraat mit ihren historischen Gildehaus-Fassaden führt dann auf den von Terrassencafés belebten **Markt** mit den mittelalterlichen Hallen und dem 88 m hohen **Belfried,** einem der schönsten Glockentürme des Landes. Um den benachbarten kleinen Platz namens **Burg** – hier stand einst die Residenz der Grafen von Flandern – drängen sich u. a das gotische **Stadthuis,** die ehemalige **Domprobstei** (17. Jh.) und die **Stadtkanzlei** »Civiele Griffie«, ein Meisterwerk aus Gotik und Renaissance. Die nach Restaurierungsarbeiten wieder in früherer Helligkeit erstrahlende romanisch-gotische **Heiligbloedbasiliek** (Heiligblutbasilika) neben dem Rathaus bewahrt das Reliquiar mit dem Blut Christi. Durch einen Renaissancebogen gelangt man zum **Vismarkt** (Fischmarkt). In entgegengesetzter Richtung kommt man zum **Jan van Eyckplein.** Interessant sind hier das Alte Zollhaus und das Huis de Beurse.

Mit dem Boot unter Brügges Brücken hindurchfahren oder abends am wunderschönen Rozenhoedkaai (rechts) vorbei – Brügge bietet viele schöne Fotomotive. Auch bei der Heiligblutprozession.

Tipp

Naturzentrum Zwin

Einst ein bedeutender Meeresarm, der u. a. die Handelsstädte Damme und Brügge miteinander verband, wurde das Gebiet 1952 zum ersten Naturreservat Belgiens erklärt. Es beginnt hinter den Deichen Knokkes. In dem heute wichtigsten Schlick- und Salzwiesengebiet Flanderns nisten heimische Seevögel, und es gibt eine Fülle endemischer Tierarten. Man kann »Het zwin« individuell erkunden oder an einer Sonntagswanderung teilnehmen.

Het Zwin
Graaf Léon Lippensdreef 8
www.zwin.be,
tgl. außer Mo. 10.00–18.00 Uhr, Juli/Aug. tgl.

MUSEEN
Im Sint-Jansspitaal (12. Jh.) ist das **Hans-Memling-Museum** untergebracht mit Hauptwerken des aus Deutschland stammenden Wahl-Brüggers aus dem 15. Jh. (Mariastraat 38, vorübergehend geschl.). Meisterwerke von Jan van Eyck sind der herausragende Schatz des **Groeningemuseum** (Dijver 12, Di.–So. 9.30 bis 17.00 Uhr). In einer ehem. Klöppelschule ist das **Kantcentrum** (Spitzenzentrum) mit Schauwerkstatt untergebracht (Balstraat 16, www.kantcentrum.eu, tgl. 9.30–17.00, Vorführungen Mo.–Sa. ab 14.00 Uhr).

AKTIVITÄT
Eine **Grachtenfahrt** in Brügge ist ein Muss! Fünf An- und Ablegestellen haben Ticketverkauf (März–Mitte Nov. tgl. 10.00–17.30 Uhr).

VERANSTALTUNG
Höhepunkt des Jahres ist die **Heiligblutprozession** an Christi Himmelfahrt. Von Mai bis Okt. findet die **Triennale Brügge** statt, ein Parcours für moderne Kunst (nächste Termine 2024, 2027). Jeweils am 1. So. im Juli und Aug. sowie am 4. So. im Sept. erstreckt sich einer der größten **Antik- und Trödelmärkte** Flanderns vom Bahnhof in Richtung 't Zand-Platz (http://brugsezandfeesten.be).

INFORMATION
Informationsbüro Markt (Historium)
Markt 1, 8000 Brugge. Weitere Büros: 't Zand (Concertgebouw, 't Zand 34) und Stationsplain (Bahnhof), www.visitbruges.be

2 Oostende

»Königin der Seebäder« nannte man **Oostende** TOPZIEL einst; ihr See-, Fähr- und Jachthafen brachte ihr kosmopolitisches Flair.

SEHENSWERT

Schon Belgiens erster König, so heißt es, war Stammgast am Strand von Oostende, wo bereits 1784 eine Badekabine stand. Leopold II. ließ das königliche Chalet dann um 1900 durch Galerien mit der Wellington-Rennbahn verbinden, sodass die vornehmen Gäste wetterunabhängig flanieren konnten. Die **Königlichen Galerien** wurden 1905 vollendet; nebenan entstand der bis heute vom Ambiente der Belle Époque geprägte **Thermenpalast.** Er dient inzwischen als Hotel. Das prägnante **Kursaal-Gebäude** birgt heute Kongress- und Konzertsäle und u. a. eine moderne Fischbrasserie mit herrlicher Aussicht. Prachtvolle Ansichten bieten die Glasfenster der neugotischen **Sint-Petrus-en-Sint-Pauluskerk** mit der Grabstätte der ersten Königin von Belgien. Im **Hafen** liegt der letzte **Islandfischkutter Amandine** als Museumsschiff (Vindictivelaan 35-Z, www.zeilschipmercator.be, derzeit geschl.). Eine nautische Attraktion ist auch das einstige **Segel- Schulschiff Mercator** (Mercatordock, www.zeilschipmercator.be, Di. bis So. 10.00–17.00 Uhr).

Kanalfahrt

Schneeweiß liegt er am Ufer des Kanals, der kleine Schaufelraddampfer (170 Plätze), für den der engste Mitstreiter des flämischen Till Eulenspiegel, »Lamme Goedzak«, Taufpate stand. Eine gute halbe Stunde braucht das Ausflugsschiff für die Fahrt auf dem unter Napoleon 1811 angelegten Kanal zwischen Brügge und Damme.

INFORMATION

April–15. Nov. 4x tgl. zwischen 11.00 und 18.00 Uhr, 11 €, Hin- und Rückfahrt 16 €, Senioren 9/13 €, Kinder bis 6 Jahre frei, https://lammegoedzakdamme.com

Aus Flandern nicht wegzudenken: Fahrräder – am Strand von Blankenberge startbereit und in der fröhlich-bunten Variante.

MUSEEN

Das **Wohnhaus** von **James Ensor**, das von Grund auf renoviert wurde, und das neue, Mitte 2020 eröffnete **Ensor-Erlebniszentrum** im Nachbargebäude mit fünf interaktiven Räumen (Vlaanderenstraat 29, www.ensorstad.be, Di. bis So. 10.00–18.00 Uhr) versetzen auf vielerlei Arten in die Welt des großen belgischen Surrealisten. Das **Mu.ZEE,** 1947 als Kaufhaus erbaut, bietet einen umfassenden Einblick in die belgische Kunst seit Beginn des 20. Jh.s, v. a. der flämischen Expressionisten (Romestraat 11, www.muzee.be, Di.–So. 10.00–17.30 Uhr).

AKTIVITÄTEN

Der breite Strand von Oostende lädt zum **Baden** und Relaxen ein. Das Ticket für die **Kusttram** kostet 2,50 €, eine Zehnerkarte 17 €. Mit dem Tagespass der Lijn (7,50 €) sind beliebig häufige Fahrten mit allen Verkehrsmitteln von de Lijn möglich (www.delijn.be).

VERANSTALTUNGEN

Bei der **Kunsttriennale Beaufort** locken auf 65 km Küste gut zwanzig Plastiken und Installationen diverser Künstler (nächste Termine 2024, 2027).

UMGEBUNG

Bredene etwa 5 km östlich bietet mehr als 30 Campingplätze und einen Nacktbadestrand. In **De Haan** (10 km nordöstl.) erinnern Jugendstil-Villen an die Zeiten nobler Sommerfrische. Das Wahrzeichen von **Blankenberge** ist sein 350 m ins Meer ragender Pier mit einem Rundbau (Café, Kino, Ausstellungen). Auf die lange Ortsgeschichte verweisen Rathaus (1532) und gotische Hallenkirche. Der v. a. für Holzschnitte bekannte Grafiker und Maler Frans Masereel wurde 1889 hier geboren. Drei restaurierte Villen von 1894 in der Elisabethstraat bergen das **Belle Époque Centrum**. Die Ausstellung lässt die fröhlich-noble Atmosphäre der Zeit zwischen 1870 und 1914 lebendig werden (www.belleepoquecentrum.be, Di.–So. 14.00–17.00 Uhr). Mit mehr als 50 Becken ist der **Sea Life Marine Park Blankenberge** das größte begehbare Aquarium Belgiens (Koning Albert-I-laan 116, www.visitsealife.com/blankenberge, tgl. 10.00–17.00 Uhr). Im Seebad **Knoke-Heist** schuf René Magritte für das Casino einen Freskenzyklus über mehr als 70 m. Legendär ist auch die Halle des Gebäudes mit Werken u. a. von Keith Haring. Das Villenviertel Het Zoute, der Golfplatz sowie rund 50 Kunstgalerien zeugen vom noblen Anspruch des Bades. Im Aug. gestalten Feuerwerkkünstler am Albertstrand (Knokke- Duinbergen) ein pyrotechnisches Spektakel.

INFORMATION

Toerisme Oostende VZW,
Monacoplein 2, 8400 Oostende,
Tel. 059 70 11 99, www.visitoostende.be

3 Veurne

Vom Ende des 16. Jh.s an unter spanischer Herrschaft, bewahrte das einst befestigte Städtchen noch etwas aus dieser Zeit in seiner Architektur. Im Ersten Weltkrieg war es das Zentrum des nicht deutsch besetzten Teils von Belgien.

SEHENSWERT

Mit seinem **Grote Markt** besitzt Veurne einen der schönsten Marktplätze Belgiens. Das Innere des **Stadhuis** (Rathaus) ist mit Ledertapeten aus Mechelen und Córdoba ausgestattet; hier hatte König Albert I. im Ersten Weltkrieg sein Hauptquartier. Weitere interessante Gebäude sind der 1448 begonnene **Spaans Paviljoen** (Span. Pavillon), das **Vleeshuis** (Fleischhalle; 1615) und die **Hoge Wacht** (1636). Überragt werden die Häuserzeilen vom gotischen **Belfried** und dem Turm der 1250 begonnenen **Sint-Walburgakerk.** Zum Glockenspiel der **Sint-Niklaaskerk** (15. Jh.) zählt »t'bomtje« (1379), eine der ältesten Glocken Belgiens. Das Erlebniszentrum **Vrij Vaderland** (»Freies Vaterland, Leben hinter der Front«)

erhellt die Geschehnisse im so genannten belgischen Sektor während des Ersten Weltkriegs (Grote Markt 29, www.vrijvaderland.be, Mo.–Fr. 9.00–17.00, Sa./So. 10.00–17.00 Uhr).

VERANSTALTUNG
Auf die spanische Ära geht die **Bußprozession** an jedem letzten Julisonntag zurück.

UMGEBUNG
In der Polderlandschaft um Veurne liegen Dörfchen wie **Avekapelle, Beauvoorde** und **Zoutenaaie.** In **Koksijde/Oostduinkerke** führen Krabbenfischer ihr Metier vor. Im Viertel Sint-Idesbald ist dem belgischen Surrealisten Paul Delvaux ein Museum gewidmet (www.delvauxmuseum.com, April–Sept. Di.–So., Okt., Nov., Dez., März Do.–So. jeweils 10.30–17.30 Uhr). Innovativ ist das **Abteimuseum Ten Duinen** (www.tenduinen.be, Nov.–März Di.–Fr. 10.00–17.00, Sa./So. 14.00–17.00, April–Okt. Di.–Fr. 10.00–18.00, Sa./So. 14.00–18.00 Uhr) ausgestaltet. Der Badeort **Nieuwpoort** birgt einen der größten Jachthäfen Europas. Um **De Panne** liegt die »flämische Sahara«, das größte Dünengebiet der belgischen Küste.

INFORMATION
Dienst voor toerisme, Grote Markt 29, 8630 Veurne, Tel. 058 33 55 31, www.veurne.be

4 Ieper (Ypern)

»Stadt des Friedens« nennt sich heute das im Ersten Weltkrieg komplett zerstörte, einst durch Tuchhandel erblühte und nach 1918 wiedererbaute Ieper.

SEHENSWERT
Die **Lakenhal** am Grote Markt beeindruckt selbst als Rekonstruktion. Auch die **Sint-Marteenskathedraal** sowie Bürgerhäuser aus Gotik und Renaissance wurden wiedererbaut. Kasematten und der allabendliche Zapfenstreich am **Menenpoort** erinnern an die Gefechte des Ersten Weltkriegs.

MUSEUM
In der Lakenhal lässt das **In Flanders Fields Museum TOPZIEL d**as Kriegsgrauen aus verschiedenen Perspektiven lebendig werden (www.inflandersfields.be, April–Sept. Mo.–Fr. 10.00–18.00, Sa./So. 10.00–17.00, sonst Di.–So. 10.00-17.00 Uhr).

UMGEBUNG
Südlich von Ieper erstreckt sich das malerische **Heuvelland,** eine ideale Fahrradgegend. **Poperinge** (ca. 12 km westlich) ist Zentrum des Hopfenanbaus. Ca. 20 km östl. liegt die historische Textilstadt **Kortrijk** mit Beginenhof und ca. 20 km nördl. davon **Diksmuide.**

INFORMATION
Toerisme Ieper, Grote Markt 34, 8900 Ieper, Tel. 057 23 92 20, www.toerismeieper.be

SEGELN AUF SAND

Mit ihren hellen Sandstränden lockt die rund 60 Kilometer lange Küste Flanderns. Wie wäre es bei so viel Platz mal mit Strandsegeln? Das Dahinflitzen auf dem Sandmit dem Segelwagen (fläm. »zeilwagen«, frz. »char à voile«) hat eine lange Tradition. Bereits 1906 testeten die Brüder Dumont hier ihr neuestes Modell mit Holzrädern, v-förmigem Mast und dreieckigem Segel.

Hoher Funfaktor: Für uns heißt es nun zunächst Helm auf, Windjacke an, und los geht es. Am besten erst mal im Zweisitzer, mit dem Fahrlehrer an der Seite, der das Lenkseil hält. Rasch stellt sich aber heraus, dass es gar nicht so schwer ist, den Wind im Segel einzufangen und die leichten, dreirädrigen Wagen über den festen Ebbesand zu manövrieren. Wir lernen gleich zu Beginn unserer ersten Unterrichtsstunde den Strandsegler richtig zu starten und, wichtiger noch, auch wieder anzuhalten.

Wie man das Gefährt hinwendet zum Wind und wie man die Geschwindigkeit drosselt, sollte man wissen. Denn auf dem breitesten Strand der flämischen Küste lassen sich bis zu 120 km/h erreichen – genau das Richtige für Profis. Auch im 21. Jahrhundert messen sich die »Landyachter« hier in Sachen Geschick bei der herbstlichen »Wereldkampioenschap«.

Mehrere Wassersport-Vereine und -Clubs an der flämischen Küste (z.B. in Oostende, Bredene, De Haan, Blankenberge oder Knokke-Heist) unterhalten eine Zeilwagenschool, in der sowohl Kinder (ab 10 oder 14 Jahren) als auch Erwachsene das Strandsegeln lernen können. Beim **Sand Yacht Club** in De Panne (www.rsyc.be/zeilwagenschool.php) kostet die Einzelstunde 40 €, in der Gruppe mit max. 40 Teilnehmern werden zwei Stunden für zus. 35 € pro Person angeboten. Helm wird jeweils gestellt.
Die regionale Strandsegelföderation **LAZEF** in De Panne bietet von März bis Dezember Strandsegelkurse für Gruppen ab sechs Personen an. Es stehen 20 Strandsegler zur Verfügung (www.lazef.be).

Die charmantesten Unterkünfte

MIT DEM GEWISSEN ETWAS

Wie beim Patrizier in einem Privatpalais aus dem 18. Jahrhundert schlafen, für eine Nacht im »Himmelreich« logieren, sein müdes Haupt in einer Atmosphäre aus Vintage und Design betten – oder Eco-Punkte in charmanten Kanalhäusern sammeln: In Flandern ist die Palette der Gästeunterkünfte sowohl in Sachen Stil als auch preislich breit gefächert!

1 Huyze Elimonica

Klassische Gastlichkeit in einer stilvoll renovierten Stadtvilla aus dem Jahr 1899, nur knapp 500 m vom Strand und einen Steinwurf vom Leopoldpark entfernt. Das B & B-Haus bietet drei großzügige Zimmer mit Kingsize-Betten, schönen Lüstern und warmem Farbkonzept. Es gibt ein üppiges Frühstück sowie kostenloses Parken. Nur Barzahlung.

Euphrosina Beernaertstraat 39, 8400 Oostende, Tel. 04 79 67 07 09 oder 04 75 91 56 95, www.elimonica.be, DZ ab 160 €

2 Esprit de Mer

Ebbe, Flut und Wellenbrecher – so heißen übersetzt die drei Zimmer dieses B & B im Zentrum von De Panne. Sie atmen nicht nur den Geist des Meeres (so der Name der Villa, in dem sie untergebracht sind), sondern ein wenig auch jenen der Belle Époque an seinem Küstensaum. Der ist übrigens nur knapp 400 m entfernt. Beim Frühstück mit hausgemachter Marmelade blickt man durchs Fenster auf den Marktplatz.

Visserslaan 10, 8660 De Panne, Tel. 04 74 32 91 21, www.espritdemer.be, DZ ab 110 €

3 Martin's Relais

Gemütlich-eleganten Landhausstil verströmt das ruhig gelegene, in fünf Kanalhäusern aus dem 17. Jahrhundert eingerichtete 46-Zimmer-Relais mit kleinem Innenhofgarten und zum Teil großartigen Ausblicken. Das Hotel besitzt ein Eco-Management-Zertifikat, und jeder Gast kann dank des Clé Verte-Labels den Urlaub vollständig mit Öko-Gutscheinen (Sodexo, Edenred & Monizze) bezahlen.

Genthof 4a, 8000 Brügge, Tel. 050 34 18 10, www.martinshotels.com, DZ ab 120 €

4 Yoake

Romantisch mit Kamin, Himmelbett und Bogentüren? Oder klare Moderne unter weißem Gebälk? Die beiden Zimmer in einem privaten kleinen Stadthaus aus dem 19. Jahrhundert werden durch ein öffentliches Wellnesscenter ergänzt, das die Besitzerin Liesbeth Dewaele nach dem Feng-Shui-Prinzip einrichten ließ. B & B-Gäste erhalten einen kleinen Preisnachlass auf die Anwendungen.

Tempelstraat 35, 8900 Ieper (Ypern), Tel. 05 7 20 35 14, www.yoake-ieper.be, DZ ab 110 Euro, mit Wellness 190 €

5 Hôtel Verhaegen

Kamin und Kristalllüster, historische Wandmalereien und moderne Kunst, Himmelbett und Marmorwanne: Das B & B Hôtel Verhaegen in einem Herrenhaus aus dem 18. Jahrhundert schickt jeden Gast auf eine Reise durch die Zeiten. Die vier eleganten Zimmer wurden – wie das gesamte Patrizieranwesen – von den Besitzern, zwei Innenarchitekten, individuell ausgestattet und dekoriert. Im Speisesalon wird ein großzügiges Frühstück serviert; im Sommer locken ein schattiger Innenhof als Alternative und der wunderbare Garten zum Entspannen. Zum Stadtzentrum von Gent spaziert man in zehn Minuten.

Oude Houtlei 110, 9000 Gent, Tel. 09 2 65 07 60, www.theverhaegen.com, DZ ab 210 €

6 Stokerij Van Damme

Ferien auf dem Bauernhof – aber auf einem besonderen. Denn Ludo und Dominique Lampaert halten nicht nur Rinder und bewirtschaften große Ackerflächen. Auf ihrem Gehöft zwischen Aalst und Gent wird seit 1826 in erster Linie Genever gebrannt. Die sechs Gästezimmer in einem Flügel des Vierkanthofs sind einfach und hell, mit Fliesenboden und teils modernem, teils historischem Mobiliar.

Issegem 2,
9860 Oosterzele-Balegem,
Tel. 093 62 50 25,
www.stokerijvandamme.be,
DZ ab 150 €

7 Hotel des Galeries

Zentraler geht es kaum: im Herzen der historischen Galeries Royales Saint-Hubert (Abb. S. 114 links) staffeln sich auf vier Etagen die zwei Dutzend Zimmer (mit Ankleideraum!) und Suiten des jungen Boutique-Hotels. Belgische Designer wie Camille Flammarion (Keramik-Nachttische) oder Fleur Delesalle sorgten für Akzente in der Ausstattung, sodass ein gelungener Mix aus einzigartig und alltäglich entstand – oft »garniert« mit tollen Ausblicken zum Beispiel auf die Kathedrale oder auf die Königlichen Galerien.

Rue des Bouchers 38,
1000 Brüssel,
Tel. 022 13 74 70,
http://hoteldesgaleries.be,
DZ ab 170 €

8 Hotel Pilar

Aus dem einstigen HotelO im trendigen Südviertel Antwerpens wurde 2017 nach sorgfältiger Renovierung das Hotel Pilar – mit neuen Betreibern und neuem Design. Sam Peeters als Innenarchitekt sorgte für einen hellen Weiß-Grau-Schwarz-Look mit fröhlichen Farbkontrasten sowohl in den 17 Zimmern als auch in der Lobby mit Foodbar. Außerdem fand im Erdgeschoss des weißen Jahrhundertwendebaus, der einst eine Druckerei barg, ein Shop mit hauseigenen Kreationen und ungewöhnlichen Fundstücken anderer Designer seinen Platz.

Leopold de Waelplaats 34,
2000 Antwerpen,
Tel. 032 92 65 10,
www.hotelpilar.be,
DZ ab 135 € (pro Person)

9 Bed & Breakfast Alizée

Stilvoll und sehr persönlich empfängt das Alizée seine Gäste in zwei Zimmern und einem kleinen Gemeinschaftssalon auf der ersten Etage eines historischen Herrenhauses. Es bringt nostalgische Elemente mit einem Ambiente mal in Rot-Weiß, mal in Grautönen zusammen. Zum Frühstück werden hausgemachtes Brot und Marmeladen angeboten sowie Produkte aus der Region.

Sint-Maartenstraat 41,
3000 Leuven,
Tel. 048 03 73 83,
http://bbalizee.be,
DZ ab 225 € (für 3 Nächte, Mindestaufenthalt 3 Nächte)

10 t'Hemelhuys

Zwei Freundinnen – ein Projekt. Ann und Liesbeth schufen im Herzen von Hasselt ein charmantes Gästerefugium. Sie möblierten es mit Antiquitäten aus der Provence, suchten belgisches Leinen aus und ließen Terrakottafliesen verlegen. Und nun sorgen die beiden Betreiberinnen eigenhändig für das leibliche Wohl ihrer Gäste, denn das Brot, die Croissants und die *pistolets* (Brötchen) für das Frühstück backen sie täglich selbst. Übrigens: der Name des B&B bedeutet Himmelshaus …

Hemelrijk 15,
3500 Hasselt,
Tel. 011 35 13 75,
www.hemelhuys.com,
DZ ab 155 €

Zu Flandern gehört Genever (oben). Die Lakenhal von Ieper wurde nach dem Ersten Weltkrieg rekonstruiert (rechts).

HILFREICH & NÜTZLICH

Praktische Informationen für die Reise und einiges Wissenswerte für Ihren Flandern-Urlaub haben wir hier für Sie zusammengetragen.

Auskunft

Auf der Website www.visitflanders.com finden sich zahlreiche Hinweise, auch für Reisende mit Handicap.

Toerisme Vlaanderen
(Tourismusorganisation für Flandern)
Grasmarkt 61,
B-1000 Brüssel,
Tel. 0032 2 5 04 03 00
www.toerismevlaanderen.be
www.visitflanders.com

In Deutschland:
Tourismus Flandern-Brüssel
Stolkgasse 25-45, D-50667 Köln
info.de@visitflanders.com
www.visitflanders.com/de

Essen & Trinken

Flandern ist ein Schlemmerparadies. Französische Raffinesse paart sich in der flämischen Küche mit burgundischer Reichhaltigkeit und niederländischer Bescheidenheit. Das Angebot an frischen Zutaten ist groß. Das nahe Meer liefert Seezunge und Scholle, die berühmten Muscheln (Mosselen) und die feinen, kleinen grauen Nordseegarnelen. Den Gaumen betören die Flossenträger und Schalentiere u. a. in Gestalt einer üppigen Genter Waterzooi (Gemüse-Fisch-Suppe) oder frisch frittierter Garnelenkroketten. Apropos frittiert: **Pommes frites** (flämisch: »frietjes«) werden in Flandern nicht nur zu **Muscheln** serviert, sondern auch solo gewürdigt, allenfalls mit dem Klassiker Mayonnaise als Begleitung. An/in mancher »frituur« bzw. »frietkot« gibt es für die goldenen Kartoffelstäbchen – zwei Mal müssen sie

Info

Geschichte

ca. 450 v. Chr.: Besiedlung durch die Kelten
57–51 v. Chr.: Julius Caesar erobert die Region des heutigen Belgien.
5. Jh.: Die salischen Franken nehmen vom heutigen Belgien Besitz.
843: Im Vertrag von Verdun wird das fränkische Reich geteilt. Fast ganz Flandern wird Teil des Westfrankenreichs.
13. Jh.: Wollhandel und die Tuchproduktion machen Flandern zum Wirtschaftsgebiet.
1302: Sieg der Flamen bei Kortrijk.
1384: Flandern gelangt durch Heirat an Burgund (bis 1479).
15. Jh.: Flandern und Brabant sind europäisches Wirtschaftszentrum.
1433: Philipp der Gute macht sich zum Herrn über die gesamten Niederlande.
1477: Die gesamten Niederlande fallen an Habsburg.
1556: Die Niederlande mit Flandern kommen unter spanische Herrschaft.
1581: Die Nordprovinzen (Holland) erklären sich für unabhängig von Spanien. Ihr Status wird jedoch erst 1648 im Westfälischen Frieden bestätigt. Mehr als 100 000 Flamen wandern in den Kriegsjahren aus. Handel und Gewerbe verlagern sich nach Norden.
1713: Frieden von Utrecht: Die südlichen Niederlande gehen an Österreich.
1792/93: Französische Revolutionstruppen besetzen das Land.
1814: Die Quadrupelallianz gegen Napoleon einigt sich im Vertrag von Chaumont, die nördlichen und südlichen Niederlande zum Königreich der Vereinigten Niederlande zusammenzuschließen.
1830: Aufstand in Brüssel. Eine neue Regierung erklärt Belgiens Unabhängigkeit.
1914–1918: Flandern ist Schauplatz erbitterter Schlachten.
1962: Die Sprachgrenze zwischen Flamen und Wallonen wird gesetzlich festgelegt.
1960er-/1970er-Jahre: Durch den Niedergang traditioneller Industrien verarmt der wallonische Süden, das bisher arme Bauernland Flandern hingegen erblüht durch die Ansiedlung neuer Industrien.
1993: Albert II. übernimmt die Regentschaft. Eine Verfassungsänderung erweitert Flanderns Autonomiestatus.
2007: Eine Regierungskrise erschüttert ganz Belgien, es droht die Teilung des Landes. Ca. 35 000 Flamen und Wallonen gehen zum »Marsch für die Einheit« auf die Straße.
2009: Die Regionalwahlen zementieren die politische Spaltung: Flandern wählt konservativ bis rechts, Wallonien sozialistisch.
2013: König Albert II. dankt zugunsten seines ältesten Sohnes Philippe ab.
2019: Am 2. Oktober wird die neue flämische Regierung vereidigt. Ministerpräsident ist Jan Jambon von der separatisitischen N-VA, die sich trotzdem auch an der belgischen Koalitionsregierung beteiligt.
2020: Ein neues Taxi-Dekret für Flandern verpflichtet alle Taxifahrer, Niederländisch mit ihren Fahrgästen zu sprechen. Am 1. Oktober wird Alexander De Croo von der flämischen Open VLD Premierminister Belgiens.
2024: Am 1. Januar übernimmt Belgien den halbjährigen Vorsitz des Rates der Europäischen Union (EU).

Am Scheldeufer in Antwerpen lässt man sich die Luft um die Nase wehen.

gebacken sein, zuerst bei 150 Grad, dann bei 180 Grad! – aber auch eine große Bandbreite von Saucen, darunter exotische wie Samurai.
Gemüse wächst reichlich auf den fruchtbaren Böden Flanderns – der legendäre Chicorée vor allem, aber z. B. auch Spargel (in der Region um Mechelen) oder Rosenkohl.
Fleischgenuss ist den Flamen ebenfalls eine kulinarische Herzensangelegenheit – vom Wild über Huhn (etwa in einer Variante der Gentse Waterzooi) bis zur Räucherwurst. Letztere ist unverzichtbarer Bestandteil eines echten Hutsepot, eines deftigen Schmorgerichts mit Karotten, Kartoffeln, Grün- und Rosenkohl, Speck und allerlei Schwein, vom Fuß über die Ohren bis zum Schwänzchen …
Kuh oder Kalb indes braucht es für einen anderen traditionellen »Vlaamse stoofschotel«: das Stoverij, eine Art Gulasch. Für die Sauce dazu wird süßliches Dunkelbier verwendet – zimmerwarm. Kenner ersetzen beim Stoverij übrigens das oben aufliegende Weißbrot durch Lebkuchen und verwenden unbedingt braunen Zucker und Senf aus der berühmten Manufaktur Tierenteyn in Gent.
Andere Kreationen auf der Basis »brauerischer Vielfalt« sind z. B. Kaninchen in Kriek (Kirschbier), Truthahn in Abteibier oder »Gratin nach Brauersart«. Zum Verdauen eignet sich dann bestens ein Genever …
Süßes gehört bei den Flamen ebenfalls unbedingt zum kulinarischen Alltag und gestaltet sich in Form von frischen warmen Waffeln in allen Variationen, als Törtchen oder den legendären Pralinen (s. S. 106) …
Kein anderes Land hat eine solche Vielfalt an **Bier** wie Belgien (s. S. 88). Einheimischer Wein stammt aus der Gegend von Leuven (s. S. 47). Ansonsten: Frankreich ist nahe, was sich auf den Weinkarten bemerkbar macht.

Feste und Feiertage

Feiertage: 1. Januar (Neujahr), Ostermontag, 1. Mai (Tag der Arbeit), Christi Himmelfahrt, Pfingsten, 11. Juli (Fest der flämischen Kulturgemeinde), 21. Juli (Nationalfeiertag), 15. August (Mariä Himmelfahrt), 1. November (Allerheiligen), 11. November (Gedenktag zum Ende des Ersten Weltkriegs), 25./26. Dezember (Weihnachten)

Geld

Geldautomaten findet man fast überall. Kreditkarten werden in großen Hotels und Restaurants sowie in vielen Geschäften, Supermärkten, Tankstellen und an den Mautstellen der belgischen Autobahn angenommen.

Hotels

Preiskategorien

€€€€	Doppelzimmer	über 200 €
€€€	Doppelzimmer	150–200 €
€€	Doppelzimmer	100–150 €
€	Doppelzimmer	50–100 €

In Flandern sind alle Hotelklassifizierungen zu finden, von Jugendherbergen über B & Bs bis hin zu Luxushotels mit viel Charme.

Restaurants

Preiskategorien

€€€€	Hauptgericht	über 50 €
€€€	Hauptgericht	30–50 €
€€	Hauptgericht	20–30 €
€	Hauptgericht	10–20 €

Brüssels Restaurantdichte (über 2000 auf 161 km²), die raffinierte Küche und auch die tollen süßen Leckereien sind international bekannt. Die Stadt gilt dank ihrer Märkte und ethnischen Spezialgeschäften als hochkarätige Gourmetmetropole. Was in deutschen Gourmetrestaurants als Spezialität gilt, etwa Schnecken oder auch Hopfen, ist in der belgischen Küche selbstverständlich. Bezogen auf die Zahl der Einwohner gibt es in Flandern mehr Michelin-Sterne als in Frankreich.

Sport

Küste und Flussläufe bieten zahlreiche Möglichkeiten für Wassersport – aber vor allen Dingen ist Flandern wegen seiner weitgehend flachen Topografie ein Paradies für Radfahrer bzw. Radwanderer. Viele Strecken längs der

Info

Daten & Fakten

Königreich Belgien
Belgien ist eine konstitutionelle Monarchie. Kompliziert ist seine regionale und föderale Struktur: drei politische Regionen (flämisch, wallonisch und Brüssel), drei kulturelle Gemeinschaften (flämischsprachig, französischsprachig und deutschsprachig), vier Sprachgebiete (französischsprachig, flämischsprachig, deutschsprachig und das zweisprachige Brüssel), zehn Provinzen.

Flämische Region
Die Flämische Region hat eine Gesamtfläche von ca. 13 600 km² und ca. 6,7 Mio. Einwohner. Sie besteht aus den Provinzen Flämisch-Brabant, Limburg, Antwerpen, Ostflandern und Westflandern. Der flämische Regionalrat (Parlament, Wahlen alle fünf Jahre, Sitz in Brüssel) ist u. a. zuständig für regionale Umwelt-, Wirtschafts-, Finanz- und Sozialpolitik und wählt den Ministerpräsidenten. Bei flämisch-regionalen Angelegenheiten dürfen Brüsseler Abgeordnete der flämischen Gemeinschaft nicht mitstimmen.

Das historische Flandern reichte ursprünglich bis ins heutige Frankreich hinein und umfasste neben der Grafschaft Flandern die Herzogtümer Brabant und Limburg. Heute erstreckt sich die Region über fast den gesamten Norden Belgiens von der Küste zwischen Knokke-Heist und De Panne über flache Polder-, Kanal- und Flusslandschaften (Schelde, Lys, Yperle, Dender und Leie) bis zu den sanften Wellen des Haspengaus und des Hagellands im Osten sowie den Hügeln des Brabanter Pajottenlands und des Heuvellands. Letzteres sowie die flämischen Ardennen markieren die Grenze zu Wallonien.

Sprache
In Flandern wird Flämisch bzw. Niederländisch gesprochen; in (und um) Brüssel aber vorwiegend Französisch.

Wirtschaft
Von Bedeutung sind Land- und Viehwirtschaft, Fahrzeugbau, Hightech und auch der Tourismus.

Kanäle eignen sich zudem bestens zum Skaten. Die Provinz Limburg hat mit 2000 km das dichteste Radwegenetz, Ostflandern bietet 1800 km, Westflandern lockt allein im Küstenbereich mit 600 km, in der Provinz Antwerpen bietet schon die Region Kempen fast 40 Themenrouten. Die klassische **Flandernroute** (800 km) führt durch einsame Heide, flache Polder, uriges Bauernland, Dörfer und faszinierende Kunststädte. Sie ist gut ausgeschildert und zur Hälfte autofrei. Leihräder findet man fast überall in Radläden, an Bahnhöfen oder in fahrradfreundlichen Unterkünften. Bei der Ausleihe (eine vorherige Reservierung wird empfohlen) müssen eine Kaution hinterlegt und ein Ausweis vorgelegt werden. Fast jedes flämische Dorf besitzt eine Radsportkneipe, mehr als 100 sind offiziell als Supportercafés registriert. Die als »fietsvriendelijk« ausgezeichneten Cafés bieten u.a. Unterstellmöglichkeiten für Räder, aktuelle Karten und touristische Informationen. Der eigene Proviant darf ebenfalls im Radcafé verzehrt werden, sofern man ein Getränk bestellt.

Telefon

Ländervorwahlen
Belgien 0032, Deutschland 0049, Österreich 0043, Schweiz 0041

Nach der Abschaffung der Roaming-Gebühren haben sich EU-Mitgliedsstaaten und das Europaparlament 2018 auf eine Senkung der Tarife für Mobilfunk-Telefonate innerhalb der EU geeinigt. Auslandsgespräche innerhalb der EU kosten seit Mai 2019 nicht mehr als 19 Cent/Min.

Notruf
Polizei: 101
Feuerwehr & Krankenwagen: 100
Europäische Notrufnummer (Nummer übers Handy): 112
Giftnotruf: 070 245 245
Apothekennotdienst: www.apotheek.be (Liste mit Notfall-Telefonnummern)

Wellness

Beauty- und Spa-Angebote gibt es in ausgewählten Hotels. Wellnesslandschaften finden sich z.B. bei Leuven (www.saunacenterelzenhof.be), Mechelen (www.mineraal.be) oder Brüssel (www.thermendilbeek.be).

Zoll

Im privaten Reiseverkehr innerhalb der EU dürfen Waren zum eigenen Verbrauch unbegrenzt mitgeführt werden.

Info

Wetterdaten
Brüssel

	TAGES-TEMP. MAX.	TAGES-TEMP. MIN.	TAGE MIT NIEDER-SCHLAG	SONNEN-STUNDEN PRO TAG
Januar	5°	0°	13,4	1,6
Februar	6°	0°	10,1	2,7
März	9°	2°	13,1	3,4
April	13°	5°	11,3	4,9
Mai	17°	8°	11,9	6,1
Juni	20°	11°	10,5	6,2
Juli	22°	13°	10	6
August	22°	13°	10	5,9
September	19°	10,5°	9,5	4,8
Oktober	14°	7,5°	10,2	3,7
November	9°	3°	13	2,2
Dezember	6°	1°	12,7	1,4

Ein Abstecher zu großer Kunst ist in Flandern immer möglich, etwa zu Jan van den Hoeckes »Jakob und Esau« im Groeningemuseum in Brügge.

REGISTER

Fette Ziffern verweisen auf Abbildungen

Impressum

6. Auflage 2024

Verlag: DuMont Reiseverlag, Postfach 3151, 73751 Ostfildern, Tel. 0711/4502-0, Fax 0711/4502-343, www.dumontreise.de
Geschäftsführer(in): Dr. Stephanie Mair-Huydts, Markus Schneider
Programmleitung: Andrea Wurth
Redaktion und Aktualisierung: Achim Bourmer
Text: Rita Henß
Exklusiv-Fotografie: Rainer Kiedrowski
Titelbild: mauritius images/age fotostock/Joana Kruse
Zusätzliches Bildmaterial: © Johan de Moor: 4/5 Mitte, 34; Look-Foto/Sabine Lubenow 8/9; Corbis/Paul Raftery 10/11; mauritius/Keith J. Smith/Alamy 20 li.; akg images/De Agostini Picture Library 21 u. li.; Glow Images/Deposit Photos 21 o. li.; mauritius/Garden Photo World/Alamy 21 o. re.; mauritius/Arterra Picture Library/Alamy 21 u. re.; Look-Foto/age fotostock 29 o. li. (© VG Bild-Kunst, Bonn 2023); © www.atomium.be – SABAM 2016 (Rainer Kiedrowski) 7 (rechts), 33; laif/H. Aussouline/Opale/Leemage 35; shutterstock/antonnot 36; mauritius/Jochen Tack/Alamy 37; DuMont Bildarchiv/Urs Kluyver 44 u. re. und li.; mauritius/Peter Horree 45 u.; mauritius/Robertharding/Alamy 54 rechts; mauritius/Michelle Chaplow/Alamy 55 li.; www.la-buvette.be/© Frédéric Raevens 55 o. li.; Corbis/Leduc/photocuisine 55 u. li.; Bart Albrecht 55 re.; mauritius/Carlos Sánchez Pereyra 70; shutterstock/Aleksandrs Tihonovs 71; © Anselm Reyle 79 u., shutterstock/ivanpigozzo 88; shutterstock/SL-Photography 94/95; Corbis/Steven Vidler 109; dpa/picture alliance/Javier Lizon 107 o. re.; mauritius/Mark Bassett 114 re.; mauritius/imageimage/Alamy 114 li.; mauritius/P. Widmann 115 u. re., www.hotel verhaegen.be 115 o. li. und o. re.; mauritius/robertharding/Neil Emmerson 120 u.r.; mauritius/Alamy/Ivan Vdovin 120 u.l.; shutterstock/Christin Klose 121
Textquellen: Bundespräsident Joachim Gauck, Rede am 4. August 2014 in Lüttich: http://www.bundespraesident.de/SharedDocs/Reden/DE/Joachim-Gauck/Reden/2014/08/140804-Gedenken-Luettich.html (103); Helmut Schmidt, Die Deutschen und ihre Nachbarn, Berlin 1990, 338 (97), John Vermeulen, Die Elster auf dem Galgen, Zürich 1995, S. 39 (63), 403 (53)
Grafische Konzeption, Art Direktion: fpm factor product münchen
Cover-Gestaltung, Layout: CYCLUS · Visuelle Kommunikation, Stuttgart
Kartografie: © MAIRDUMONT GmbH & Co. KG, Ostfildern
Kartografie Lawall (Karten für „Unsere Favoriten")
DuMont Bildarchiv: Marco-Polo-Straße 1, 73760 Ostfildern, bildarchiv@mairdumont.com

Anzeigenvermarktung: MAIRDUMONT MEDIA, Tel. 0711/4502-0, Fax 0711/4502-1012, media@mairdumont.com, http://media.mairdumont.com
Vertrieb Zeitschriftenhandel: PARTNER Medienservices GmbH, Postfach 810420, 70521 Stuttgart, Tel. 0711/7252-212, Fax 0711/7252-320
Vertrieb Abonnement: Leserservice DuMont Bildatlas, Zenit Pressevertrieb GmbH, Postfach 810640, 70523 Stuttgart, Tel. 0711/7252-265, Fax 0711/7252-333, dumontreise@zenit-presse.de
Vertrieb Buchhandel und Einzelhefte: MAIRDUMONT GmbH & Co KG, Marco-Polo-Straße 1, 73760 Ostfildern, Tel. 0711/4502-0, Fax 0711/4502-340
Reproduktionen: PPP Pre Print Partner GmbH & Co. KG, Köln

Printed in Germany

Urlaub erinnern ...

Wenn jemand eine Reise tut, dann kann er was erzählen. Und nicht nur das: Er nimmt auch etwas mit. Erinnerungen an die schönste Zeit im Leben.

DIE LEICHTIGKEIT DES SEINS

Ob verwegene Architektur, schlechtes Wetter, Verkehrschaos oder sonstige Widrigkeiten: statt darüber zu meckern, lacht man in Flandern meist angesichts solcher Gegebenheiten und Situationen. Zumindest nimmt man das Ganze nonchalant: mit liebenswürdiger Lässigkeit. Und mit Humor: »Fritten ohne Mayo« – das ist wie Brüssel ohne Wellhornschnecken.« (Claude Semal, Autor, Komödiant, Sänger aus Brüssel)

GLOCKENBLICK

Mechelens Kathedralen-Turm ist wirklich atemberaubend. In mehrfacher Hinsicht. Denn exakt 514 Stufen wollen bis zur Spitze bewältigt werden. Und auf dem Weg dorthin staunt man stumm über 98 Glocken. Hat man wieder genug Luft in den Lungen, darf man zur Belohnung das wunderbare Stadtpanorama genießen.

CHOCOLAATJES UND CHOCOLATS

Fans belgischer Pralinen wissen natürlich genau, wo die kleinen Köstlichkeiten noch handgemacht sind. Bei den Marcolini in Brüssel etwa. Oder bei Nicolas Vanaise & C. bzw. Yuzu in Gent. Bei Marcolini macht sich die Qualität der Schokolade sofort auf der Zunge bemerkbar. Nicolas sorgt immer für Überraschungen: etwa mit der Kombination von Kakao und Yuzu-Frucht oder Ganda-Schinken (beide S. 108).

KRABBEN-LEKTION

Ob ich mitwolle zum Vishtrap, fragte mich mein B & B-Gastgeber in Oostende, die frischesten Krabben gäbe es dort. Klar doch! Wir kauften gut ein Kilo. Und ich wurde eingeladen, mit zu pulen. Aber ich hatte doch noch nie zuvor ...
Mijnheer erwies sich als geduldiger Lehrer: »Strecken, in der Hüfte drehen, langsam den Schwanz abziehen«. Und der Kopf? »Leicht festhalten, vorsichtig am schalenlosen Fleisch ziehen ...« Uff! Probiieren Sie es doch mal selbst zu Hause und denken Siie dabei an Flanderns Nordseebriise.

»AN ZU VIEL GLÜCK IST NOCH KEINER GESTORBEN.«

Flämisches Sprichwort

FORMELLE ANREDE

Bei einem Aufenthalt in Flandern merkt man recht schnell, dass Flamen ihr Gegenüber anders anreden als Niederländer. Niederländer unterscheiden zwischen dem eher informellen »jij/je« (dt. du) und dem höflichen »u« (dt. Sie). Belgier siezen ihr Gegenüber gewöhnlich mit »u«, selbst Kinder sprechen Ihre Eltern oft mit »u« an. Niederländer empfinden das als zu formell.

BUCHSTABEN-POESIE

»A City Full of Letters« lautete der Titel einer Open-Air-Ausstellung in Brügge. Und bis heute gehören Buchstaben in jeglicher Form zum Bild der Stadt. Maud Bekaert, deren Atelier ich in der St. Clarastraat entdeckte, verewigt sie in diversen Materialien, Größen und Sprachen – als Wort(e), Bonmot, Zitat. Ich wählte ein kleines hölzernes »Dank« im Glas und den Wandspruch »C'est toujours le moment« aus Kortenstahl ...

CHANSONS UND KARTONS

Jacques Brel zählt zu meinen frühen Musiklieben. Bei meinem jüngsten Besuch in Koekelberg erfuhr ich ein mir bisher unbekanntes Detail aus seinem Leben: als Schul-Abbrecher lieferte er Kartonagen aus dem Betrieb seines Vaters und Onkels u. a. an die Biscuiteries Chocolateries Victoria – deren historische Gebäude noch heute erhalten sind. Eines davon birgt inzwischen neben Lofts auch das Belgian Chocolate Village.

DICKE WADEN

Bereits als Teenager faszinierte mich Édouard Louis Joseph Baron Merckx, wie der berühmte ehemalige belgische Radrennfahrer mit vollem Namen heißt. Einmal im Leben wollte ich auf den Spuren dieser Radsportlegende die »Ronde van Vlaanderen«-Strecke radeln. (Nicht die ganzen 270 Kilometer auf einmal, versteht sich.) Die erste Hälfte lief problemlos. Aber dann war es aus mit den flachen Etappen: Helligen und Kopfsteinpflaster – die Waden brannten. Doch beim nächsten Mal, Eddy, schaffe ich es sicher ins Ziel!

PRO GRAMM

HAMBURG

Alles anders, alles neu?
Hamburg erfindet sich neu: Dank Elbphilharmonie und HafenCity strömen mehr Touristen in die Stadt als je zuvor.

Shoppingtipps
Wo kauft die Hanseatin, der Hanseat? Die besten Adressen ...

Sprung über die Elbe
Ausflugstipps fürs Alte Land, in die Lüneburger Heide, nach Bergedorf oder Ahrensburg.

COSTA RICA

Tierische Erlebnisse
Affen und Krokodile, Tukane und Leguane, grandiose Möglichkeiten zur Tierbeobachtung gibt es vielerorts.

Strandparadiese
Mehr als 1000 km Pazifik- und 200 km Karibikküste – da ist für jeden der ideale Strand dabei.

Land ohne Armee
Null Dollar fürs Militär. Kann das dauerhaft gut gehen?

www.dumontreise.de

LIEFERBARE AUSGABEN

DEUTSCHLAND
207 Allgäu
216 Altmühltal
220 Bayerischer Wald
180 Berlin
162 Bodensee
217 Brandenburg
175 Chiemgau, Berchtesg. Land
237 Dresden, Sächsische Schweiz
152 Eifel, Aachen
157 Elbe und Weser, Bremen
168 Franken
020 Frankfurt, Rhein-Main
112 Freiburg, Basel, Colmar
231 Hamburg
026 Hannover zw. Harz und Heide
042 Harz
023 Leipzig, Halle, Magdeburg
210 Lüneburger Heide
188 Mecklenburgische Seen
038 Mecklenburg-Vorpommern
033 Mosel
190 München
047 Münsterland
223 Nordseeküste Schleswig-Holstein
006 Oberbayern
161 Odenwald, Heidelberg
035 Osnabrücker Land
002 Ostfriesland
164 Ostseeküste Mecklenburg-Vorpommern
154 Ostseeküste Schleswig-Holstein
201 Pfalz
040 Rhein zw. Köln und Mainz
185 Rhön
186 Rügen, Usedom, Hiddensee
206 Ruhrgebiet
149 Saarland
182 Sachsen
159 Schwarzwald Norden
045 Schwarzwald Süden
018 Spreewald, Lausitz
008 Stuttgart, Schwäbische Alb
239 Sylt, Amrum, Föhr
204 Teutoburger Wald
170 Thüringen
037 Weserbergland

BENELUX
156 Amsterdam
011 Flandern, Brüssel
179 Niederlande

FRANKREICH
177 Bretagne
021 Côte d'Azur
032 Elsass
228 Frankreich Südwesten Okzitanien
019 Korsika
213 Normandie
235 Paris
198 Provence

GROSSBRITANNIEN/ IRLAND
187 Irland
202 London
189 Schottland
227 Südengland

ITALIEN/MALTA/ KROATIEN
181 Apulien, Kalabrien
211 Gardasee
222 Golf von Neapel, Kampanien
163 Istrien, Kvarner Bucht
215 Italien, Norden
233 Kroatische Adria
167 Malta
155 Oberitalienische Seen
158 Piemont, Turin
014 Rom
165 Sardinien
003 Sizilien
203 Südtirol
039 Toskana
232 Venedig, Venetien

GRIECHENLAND/ ZYPERN/TÜRKEI
034 Istanbul
016 Kreta
176 Türkische Südküste, Antalya
229 Zypern

MITTEL- UND OSTEUROPA
236 Baltikum
208 Danzig, Ostsee, Masuren
169 Krakau, Breslau, Polen Süden
044 Prag
193 St. Petersburg

ÖSTERREICH/ SCHWEIZ
192 Kärnten
004 Salzburger Land
196 Schweiz
226 Tirol
197 Wien

SPANIEN/PORTUGAL
043 Algarve
214 Andalusien
150 Barcelona
025 Gran Canaria, Fuerteventura, Lanzarote
172 Kanarische Inseln
199 Lissabon
209 Madeira
174 Mallorca
225 Porto, Portugal Norden
007 Spanien Norden
219 Teneriffa, La Palma, La Gomera, El Hierro

SKANDINAVIEN/ NORDEUROPA
166 Dänemark
212 Finnland
153 Hurtigruten
029 Island
200 Norwegen Norden
178 Norwegen Süden
151 Schweden Süden, Stockholm

LÄNDERÜBERGREIFENDE BÄNDE
224 Donau – Von der Quelle bis zur Mündung
112 Freiburg, Basel, Colmar
221 Kreuzfahrt in der Ostsee

AUSSEREUROPÄISCHE ZIELE
183 Australien Osten, Sydney
109 Australien Süden, Westen
218 Bali, Lombok
195 Costa Rica
234 Dubai, Abu Dhabi, VAE
160 Florida
036 Indien
205 Iran
027 Israel, Palästina
230 Kalifornien
031 Kanada Osten
191 Kanada Westen
171 Kuba
238 Marokko
022 Namibia
194 Neuseeland
041 New York
184 Sri Lanka
048 Südafrika
012 Thailand
046 Vietnam